Ein landeskundliches Lesebuch

von Jürgen Koppensteiner

Verlag für Deutsch

Bildquellen

APA, Wien 58; Beltz Verlag, Weinheim/Bergstraße 139; Bundeskammer für gewerbliche Wirtschaft, Presseabteilung, Wien 117; Bundesministerium für Unterricht und Kunst, Wien 93; Bundespressedienst, Wien 9, 15, 24 rechts, 29, 36, 40 rechts, 42, 49 links, 99, 100 rechts, 103, 108; Bundeswirtschaftskammer, Wien 65, 70, 94/95; Burgtheater, Wien 135; Erste österr. Spar-Casse 147; Fremdenverkehrsbüro der Stadt Graz 34 links; Fremdenverkehrsverband für Wien 14 rechts, 100 links, 116; Globus Kartendienst, Hamburg 68, 91; Herbert Horn, München 133; Joanneum, Graz 46; Lebensverhältnisse in Österreich: Damals und heute. Wien: Wirtschaftsstudio des österr. Gesellschafts- und Wirtschaftsmuseums 1987. 156; Renate von Mangoldt, c/o Literarisches Colloquium, Berlin 135; Peter Müller, Hinterbrühl 24 links; Niederösterr. Fremdenverkehrswerbung, Wien 22; Österr. Fremdenverkehrswerbung, Wien 10 links, 12, 19, 21, 27, 31 oben, 34 rechts, 37, 40 links, 41, 44, 45, 71, 83, 86, 88, 107, 110, 112 unten, 153; Österr. Galerie, Wien 120; ÖGB Nachrichtendienst, Wien 90; Österr. Gesellschafts- und Wirtschaftsmuseum, Wien 52; Österr. Nationalbibliothek, Wien 115; Peter Philipp, Graz 33, 87, 104; Residenz Verlag, Salzburg (Dietmar Innerwinkler) 142; Ali Schafler, Korneuburg 119; Süddeutscher Verlag, Bilderdienst, München 101; Helmut Utri, Graz 137; Presse Bilddienst Votava, Wien 10 rechts, 14 links, 17 unten, 49 rechts, 54, 56, 121; Werkfoto der Tauernkraftwerke A.G. 31 unten; Wiener Fremdenverkehrsverband 17 oben, 112 oben; Wiener Stick-Kunst-Werkstätten, J. Jolles Studios 70 oben.

Umschlag: Österreichische Fremdenverkehrswerbung Wien (unten links und rechts), Koppensteiner (oben links und rechts).

Textquellen

Residenz Verlag, Salzburg (Handke S. 136–138, Henisch S. 141–143); Beltz Verlag, Weinheim (Nöstlinger S. 139–140).

Zu diesem Buch gibt es eine Dia-Reihe mit Begleitheft und Cassette (Best.-Nr. 696).

2., völlig überarbeitete Auflage 1990
5. 4. 3. 2. 1. | Die letzten Ziffern
1994 93 92 91 90 | bezeichnen Zahl und Jahr des Druckes
Alle Drucke dieser Auflage können, da unverändert, nebeneinander
benutzt werden.

Max-Hueber-Straße 8, D-8045 Ismaning/München
Umschlag und Layout: A.C. Loipersberger
Satz: VfD, A. Gröbmaier
Druck und Bindung: Ludwig Auer, Donauwörth
Printed in the Federal Republic of Germany
ISBN 3-88532-662-0

Inhalt

Vorwort zur aktualisierten Auflage

Dieses landeskundliche Lesebuch richtet sich an Deutschlernende mit guten Grundkenntnissen. Es kann - neben dem Einsatz im Landeskundeunterricht - auch als Zusatzlektüre in Sprachkursen verwendet werden. Der Band eignet sich besonders für all jene, die sich auf einen Aufenthalt in Österreich vorbereiten oder sich, etwa im Rahmen eines Ferienkurses, bereits in Österreich befinden.

Das Buch soll die Leser/innen auf lockere Weise mit Österreich und dessen politischen, wirtschaftlichen, sozialen und kulturellen Strukturen bekannt machen. Und es versucht, Österreich als ein Land mit hoher Lebensqualität vorzustellen, ohne seine Probleme zu übersehen. Die Informationen entsprechen dem Stand von 1990. Der Stoff ist in siebzehn Abschnitte unterteilt, die in unterschiedlichen Textsorten (Interview, Brief, Reiseprospekte u.a.m.) vielfältige Themenbereiche behandeln. Dabei wurde versucht, von Klischees abzugehen und ein differenziertes Österreichbild zu bringen. Vollständigkeit wurde nicht angestrebt; dem Bemühen um Objektivität steht die subjektive Sicht des Autors gegenüber, der das Land aus der Distanz kritisch beobachtet.

Obwohl es sich empfiehlt, ist es nicht notwendig, das Buch in seiner Gänze und in der angegebenen Reihenfolge durchzuarbeiten. Es können Schwerpunkte gesetzt und aus einem breiten Angebot jene Themen ausgewählt werden, die der jeweiligen Situation und den Interessen der Lernenden am besten entsprechen. Die einzelnen Abschnitte können unabhängig voneinander gelesen und verstanden werden.

Die Texte sind im allgemeinen kurz; Satzbau, Strukturen und Wortschatz wurden nach Möglichkeit einfach gehalten. Einzelne schwierige, in kleineren Wörterbüchern nicht immer vorkommende Wörter, vor allem solche aus dem österreichischen Sprachgebrauch, werden einsprachig erklärt.

Der Aufgaben- bzw. Fragenteil soll zu Vergleichen zwischen Österreich und den Herkunftsländern der Leser/innen anregen und das Herausarbeiten von Ähnlichkeiten und Unterschieden ermöglichen. Die Fragen und Aufgaben kommen damit den Ansprüchen einer vergleichenden, interkulturellen Landeskunde entgegen. Darüber hinaus geben sie Raum für ein kommunikatives Verhalten. Indem sie ständig zu eigenen Stellungnahmen auffordern, bringen sie Lernende in verstärktem Maß zum Sprechen.

Der literarische Teil enthält Textproben aus Prosawerken zweier bekannter Gegenwartsschriftsteller, Peter Handke und Peter Henisch, sowie von Christine Nöstlinger, der erfolgreichsten Kinder- und Jugendbuchautorin Österreichs. Die ausgewählten Texte zeigen Bezüge zum historischen, sozialen, politischen und kulturellen Umfeld, aus dem sie entstanden sind, und damit zum Lesebuch selbst. Im Idealfall können die vorgestellten Prosawerke in ihrer Gänze parallel zu diesem Buch gelesen werden.

Die Textproben sind literaturdidaktisch aufgearbeitet. Die Übungen sollen die Lernenden ebenfalls zum Sprechen bringen und fordern zu Stellungnahmen auf.

Im Anhang folgt eine kommentierte, aus zwölf Buchtiteln bestehende Auswahlbibliographie, die zu einer zusätzlichen Lektüre anregen soll und Lernenden mit sehr guten Deutschkenntnissen ein abwechslungsreiches Österreich-Leseprogramm ermöglicht.

Die neubearbeitete Auflage von „Österreich“ bietet eine aktuelle, problemorientierte (aber nicht problemlastige) Österreich-Landeskunde, die inhaltlich und didaktisch den neuesten Standards entspricht. Autor und Verlag hoffen, mit diesem Buch Österreich im DaF-Unterricht stärker präsent zu machen, als dies noch immer geschieht, und wünschen eine anregende und angenehme Lektüre. Für Kritik und Verbesserungsvorschläge sind sie jederzeit dankbar.

Graz, im Sommer 1990 *Jürgen Koppensteiner*

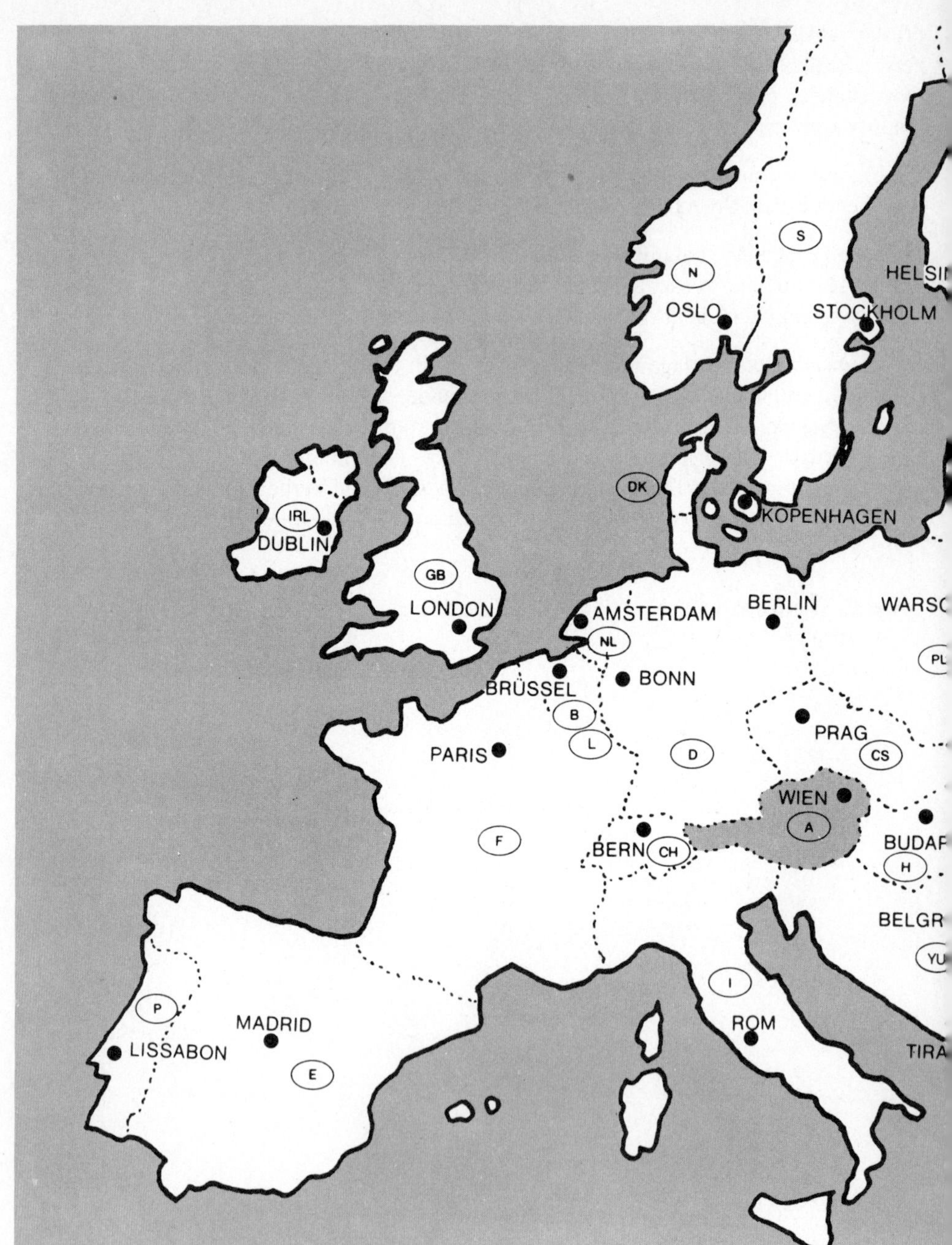
S
N
OSLO
STOCKHOLM
DK
KOPENHAGEN
IRL
DUBLIN
GB
LONDON
AMSTERDAM
NL
BERLIN
BRÜSSEL
BONN
B
L
PARIS
D
PRAG
CS
WIEN
A
F
BERN
CH
H
I
ROM
P
MADRID
LISSABON
E

1 Gebiet und Bevölkerung

Österreichs Lage in Europa

Österreich ist ein Binnenstaat im südlichen Mitteleuropa. Es ist ein wichtiges Durchgangsland nach Italien und nach Südosteuropa.
Mit einer Fläche von 83 855 km^2 ist Österreich nicht viel größer als Schottland und kleiner als Portugal. Es hat siebeneinhalb Millionen Einwohner und besteht aus neun Bundesländern.
Österreich ist von Osten nach Westen 590 km lang. Das ist so weit wie von Bregenz nach Paris oder von Basel nach Amsterdam. Seine größte Breite von Norden nach Süden ist 290 km. Der Westen Österreichs ist nur ein 40 bis 60 km schmaler Korridor.

Landschaft und Bevölkerung

Zwei Drittel des Landes liegen in den Alpen. Nur ein Viertel ist Hügelland und Ebene. So sind weite Teile Österreichs unbesiedelt geblieben, und das Land hat eine relativ niedrige Bevölkerungsdichte. Etwa 90 Einwohner leben pro Quadratkilometer. (In der Bundesrepublik Deutschland sind es 247 pro km^2.)
Österreichs höchster Berg ist der Großglockner (3 797 m).

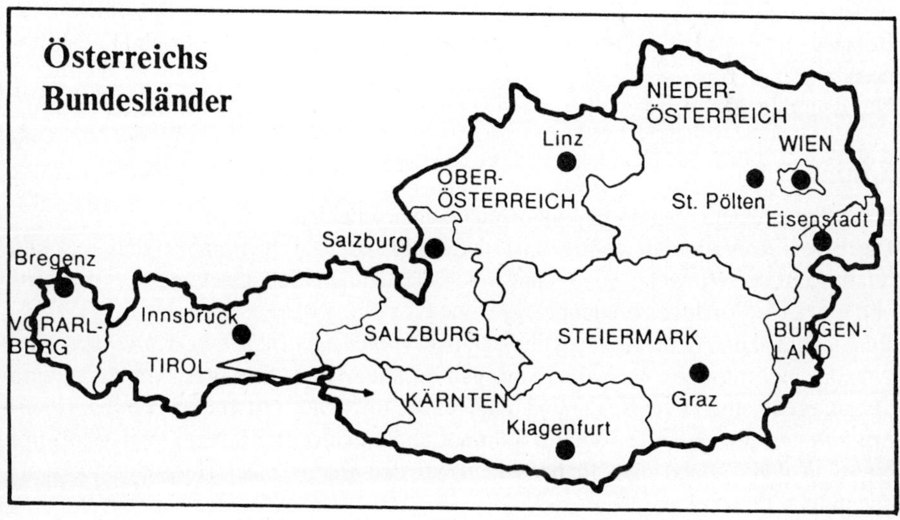

Salzburg: Blick vom Großen Rettenstein

Wohnanlage in Wien

Auf dem Weg vom Schwarzwald zum Schwarzen Meer durchfließt die Donau Österreich auf einer Länge von 350 Kilometern. Die größten Nebenflüsse der Donau sind: der Inn, die Salzach, die Enns, die Drau und die Mur. Schiffahrt ist nur auf der Donau möglich. Viele Flüsse werden für Kraftwerke genützt. Im Westen Österreichs ist der Rhein die Grenze. Österreich hat auch viele Seen. Die größten sind der Bodensee und der Neusiedler See.

So stellen sich viele Touristen den typischen Österreicher vor: Er trägt einen Trachtenanzug oder eine Lederhose und dazu einen Hut mit einem Gamsbart. Er wohnt wohl in einem romantischen Dorf in den Bergen. In Wirklichkeit lebt jeder dritte Österreicher in den fünf Großstädten des Landes: Wien, Graz, Linz, Salzburg und Innsbruck.

Beinahe ein Viertel aller Österreicher lebt in Wien, der Bundeshauptstadt (1,5 Millionen).

Nur ungefähr 16% der Bevölkerung leben in kleinen Orten bis zu 1000 Einwohnern.

Klima

In Österreich kann man drei Klimabereiche unterscheiden.

Das *alpine Klima* in den Gebirgen ist niederschlagsreich. Die Sommer sind kurz und relativ kühl, die Winter lang und schneereich. Beständiges Schönwetter gibt es meistens erst im Herbst („Altweibersommer").

Im Alpenland und in den Ebenen herrscht das *mitteleuropäische Übergangsklima* vor. Atlantische Einflüsse (Westwinde) bringen im Sommer oft Gewitter, Abkühlung und „Landregen", im Winter Regen und Schnee. Bei trockenen Ostwinden oder bei Hochdruckwetter gibt es heiße Tage im Sommer und anhaltende Kälte im Winter, oft mit Nebel in den Ebenen und Sonnenschein auf den Bergen. Der Herbst ist meistens ebenfalls schön und warm.

Das *pannonische Klima* findet man im Osten Niederösterreichs und im nördlichen Burgenland. Einem kurzen Frühling folgt ein heißer Sommer mit geringen Niederschlägen, sodaß der Boden stark austrocknet. Der Herbst ist trocken und schön, der Winter relativ kalt.

Erklärungen

der Binnenstaat, -en	Staat, der nicht ans Meer grenzt
unbesiedelt	ohne Bevölkerung
die Tracht, -en	Kleidung, die in einer bestimmten Landschaft getragen wird
der Gamsbart, ¨-e	Hutschmuck aus dem Haar des Gamsbockes
der Niederschlag, ¨-e	Regen oder Schnee
beständig	hier: andauernd, ständig
anhaltend	(fort)dauernd
sodaß (österr.)	so daß

Aufgaben

1. *Suchen Sie die richtigen Antworten im Text, und tragen Sie sie ein:*

○ Lage Österreichs:	
○ Fläche:	
○ Einwohnerzahl:	
○ Bevölkerungsdichte:	
○ höchster Berg:	
○ wichtigster Fluß:	
○ Großstädte des Landes:	

Einer der Nachbarn Österreichs fehlt auf der Karte. Es handelt sich um ein sehr kleines Land zwischen Österreich und der Schweiz. Wie heißt es?

Vergleichen Sie Ihr Land mit Österreich.

	Österreich	Ihr Land
Lage		
Fläche		
Einwohnerzahl		
Bevölkerungsdichte		

2. *Lesen Sie die folgenden Sätze, und vergleichen Sie ihren Inhalt mit dem Text. Welche Sätze entsprechen dem Text?*

	ja	nein
a) Österreich ist ein Land, das nicht an ein Meer grenzt. b) Österreich hat nur wenige Nachbarn. c) Österreich ist dichter besiedelt als die Bundesrepublik Deutschland. d) Ungefähr 25 Prozent der Österreicher leben in ihrer Hauptstadt.		

2 9mal Österreich: Die Bundesländer

Wien, Wien, nur du allein ...?

So beginnt ein bekanntes Lied. Aber nicht alle Österreicher besingen Wien als die Stadt ihrer Träume. Nach dem Ersten Weltkrieg sprach man in den Bundesländern gern vom „Wasserkopf“ Wien, der auf Kosten der anderen immer größer wurde. Die ausgehungerten Wiener blickten damals voll Neid auf die Landbewohner, die sich selbst ernähren und versorgen konnten. Die Länder aber bildeten eine geschlossene Front gegen Wien.

Ist es auch normal, daß jeder fünfte Bewohner eines Landes in der Hauptstadt lebt, die noch dazu nicht einmal im Zentrum des Landes liegt, sondern an dessen Rand? Die Ursachen für diesen seltsamen Zustand sind in der jüngeren Geschichte zu suchen. Als das 50-Millionen-Reich der Habsburger zerbrach, blieb dem klein gewordenen Österreich eine zu große Hauptstadt.

So ergeben sich, wenn man die neun Bundesländer Österreichs vergleicht, nicht unbedingt „normale” Verhältnisse:

Wien, das an Fläche kleinste Bundesland, hat mit 1,5 Millionen Menschen die größte Einwohnerzahl. Dagegen hat Vorarlberg, das zweitkleinste Land, nur rund 305 000 Einwohner. Niederösterreich schließlich, das flächenmäßig größte Bundesland, hat nur 1,4 Millionen Bewohner.

Noch andere kuriose Dinge gibt es. Die Landesregierung von Niederösterreich befindet sich nicht im eigenen Bundesland, sondern in Wien. Niederösterreich hat nämlich erst seit 1986 eine eigene Hauptstadt, St. Pölten. Zwar soll die Landesregierung noch in diesem Jahrhundert in die neue Hauptstadt übersiedeln, doch wird der Baubeginn für das Regierungsviertel noch einige Zeit auf sich warten lassen.

Auch wenn es noch immer manche Ressentiments gegen „die in Wien” gibt, ist heute das Verhältnis der Bundesländer zur Bundeshauptstadt gut. Die Wiener verbringen ihren Urlaub gerne in den anderen Bundesländern, vor allem in Niederösterreich, im Burgenland und in der Steiermark. Und was wären die Salzburger Festspiele ohne die Wiener Philharmoniker ? Wiener Fußballklubs holen sich dafür oft ihre Spieler aus den Bundesländern. Ein Symbol für den guten Kontakt der Bundesländer zu Wien ist ihr traditionelles Weihnachtsgeschenk: der große Christbaum vor dem Rathaus, der jedes Jahr aus einem anderen Bundesland kommt.

Erklärungen

der Traum, ¨e	hier: großer, unerfüllter Wunsch
der Wasserkopf, ¨e	Krankheit des Gehirns, hier: zu großer Kopf
jmd. versorgen	jemandem etwas notwendig Gebrauchtes geben
zerbrechen	hier: zu Ende gehen

Wien: Ein Kurzporträt

Nach der Demontage des „Eisernen Vorhanges“ liegt Wien wirklich im Herzen Mitteleuropas. Die verkehrsgeographische Lage der Stadt ist viel günstiger geworden. Nach Budapest und Prag sind es ja nur mehr ein paar Stunden. In Wien kreuzen sich die Verkehrslinien entlang der Donau mit jenen von der Ostsee zur Adria.
Schon vor zweitausend Jahren war Wien als römisches Kastell Vindobona bekannt. Mehr als 1000 Jahre später zogen hier die Kreuzritter vorbei, die das Heilige Land befreien wollten, und hier mußten die Türken 1683 die Eroberung Mitteleuropas endgültig aufgeben. Das 18. Jahrhundert sah Wien als „Vienna gloriosa“, die glanzvolle Barockstadt.
Am Ende des 19. Jahrhunderts wuchs Wien zur Millionenstadt. Anstelle der alten Burgmauern entstand die Ringstraße mit ihren Prachtbauten. Jenseits der Ringstraße aber, in den Vorstadtbezirken und in den Industrievororten östlich der Donau, baute man „Zinskasernen“, trostlose Massenquartiere für die vielen Zuwanderer aus der ganzen Monarchie. Die meisten Menschen hatten nicht mehr als eine Zimmer-Küche-Wohnung in einem „Bassenahaus“. Die Bassena ist ein Wasserbecken am Gang, wo die Wohnparteien das Wasser holen. Dort trafen die Hausfrauen zusammen und tauschten den neuesten Tratsch aus. Noch heute ist die Bassena ein Symbol für Klatsch und Gezänk niedrigsten Niveaus.

Bassena

Grinzing bei Wien

Ringstraße mit Parlament und Rathaus (im Hintergrund)

Heute findet man die alten Bassena-Wohnungen noch häufig am Rande der Stadt. Meistens gibt es aber schon Fließwasser in der Wohnung, auch eine Dusche ist oft vorhanden. In diesen Substandardwohnungen leben – wegen des relativ niedrigen Zinses – meistens alte Menschen, ausländische Arbeiter und andere finanzschwache Leute. Die Touristen interessieren sich freilich vor allem für die elegante City und für das museale Wien. Und die Lebensqualität Wiens ist im internationalen Vergleich sehr hoch. Die Wiener sind im allgemeinen tolerant und unkompliziert, in Wien gibt es kaum je einen Streik und keine wilden Demonstrationen. Ja, man kann in Wien ohne Gefahr auch um Mitternacht spazierengehen. Von der Stadt ist es nicht weit ins Grüne, und das Wiener Trinkwasser soll das beste der Welt sein. Und daß Wien eine erzkonservative Stadt ist, stimmt auch nicht mehr. Auch junge Leute können dort etwas „erleben". Die Wiener Jugendszene ist international durchaus attraktiv geworden. Nur: Wien ist ein teures Pflaster und liegt in der Hitparade der teuersten Städte der Welt ziemlich weit vorne.

Erklärungen

der Kreuzritter, -	Edelmann, der an einem Kreuzzug teilnahm
glanzvoll	sehr schön
der Prachtbau,-ten	herrlicher Bau
der Bezirk,-e	Stadtteil
austauschen	hier: einander erzählen
der Tratsch; der Klatsch	Gerede über andere Personen
das Gezänk	Streit
der Zins, -e (österr.)	Miete
ein teures Pflaster	ein teurer Ort

Wissenswertes über Wien

Fläche: 414,75 km^2 Einwohnerzahl: 1 531 346
Farben: Rot-Weiß

- Als Bundeshauptstadt ist Wien Sitz des Parlaments, des Bundespräsidenten, der Bundesregierung und der Zentralbehörden.
- Mehrere internationale Organisationen haben ihren Sitz in Wien (u.a.: die IAEA= International Atomic Energy Agency; Internationale Atomenergieorganisation; UNIDO = United Nations Industrial Development Organization; Organisation für industrielle Entwicklung; OPEC = Organization of Petroleum Exporting Countries; Organisation der erdölexportierenden Länder). Wien spielt heute eine große Rolle als internationales Konferenzzentrum.
- Wien ist das Kulturzentrum Österreichs (fünf Universitäten und drei künstlerische Hochschulen, Staatsoper, Burgtheater, über zwanzig Privattheater, Konzertsäle, über fünfzig Museen, große Bibliotheken).
- Als Verkehrszentrum ist Wien Ausgangspunkt aller Bahnlinien in Österreich. Vom Flughafen Wien-Schwechat gibt es Direktverbindungen in die wichtigsten Städte Europas und nach Übersee.
- Wien ist das wirtschaftliche Zentrum Österreichs (Großbanken, Versicherungen).
- Wien ist eine bedeutende Industriestadt, vor allem ein Zentrum der Modeindustrie und des Kunstgewerbes (Porzellan, Gläser, Schmuck).
- Wiens Einwohnerzahl ist in den letzten fünfzig Jahren um mehr als 400 000 zurückgegangen. Vor dem Ersten Weltkrieg hatte Wien über 2 Millionen Einwohner. (Im Vergleich dazu: Die Nachbar-Großstädte Budapest und München verdoppelten in dieser Zeit ihre Bevölkerung.)

Aufgaben

Richtig oder falsch?	*R*	*F*	*steht nicht im Text*
a) Wien hat die größte Einwohnerzahl aller Bundesländer.			
b) Das Wahrzeichen von Wien ist der Stephansdom.			
c) Es gibt noch immer Bassena-Wohnungen in Wien.			
d) Wien ist eine Stadt, in der man angenehm lebt.			
e) Wien ist auch die Landeshauptstadt von Niederösterreich.			

Wien: Panorama mit Stephansdom

Das Internationale Zentrum Wien, die „UNO-City"

Zwei Sagen aus (Nieder-)Österreich

Rot-Weiß-Rot

Rot-Weiß-Rot sind seit langem die österreichischen Landesfarben. Man findet sie schon im Wappen der Babenberger. Ein Babenbergerherzog ist es auch, der einer Sage nach diese Farben für sein Land eingeführt hat.

Nach der Eroberung Jerusalems im Jahr 1187 nahm Herzog Leopold V. (der „Tugendhafte") mit Rittern aus Österreich und der Steiermark am Kreuzzug teil. Fast gleichzeitig mit ihm traf König Richard Löwenherz von England an der syrischen Küste ein. Die Kreuzfahrer belagerten zunächst die Hafenstadt Akkon. Es gab viele Kämpfe, bis die Christen endlich in die Stadt einziehen konnten. Leopold soll dabei so tapfer gekämpft haben, daß sein weißer Waffenrock nach der Schlacht blutüberströmt war. Als er ihn am Abend auszog, zeigte sich der weiß gebliebene Streifen unter dem Gürtel. Zur Erinnerung daran erklärte Leopold den weißen Streifen im roten Feld zum Wappen seines Landes. So erzählt es die Sage. In Wirklichkeit jedoch dürften die Babenberger die rotweißrote Fahne von einer ausgestorbenen Familie im nördlichen Niederösterreich geerbt haben.

Erklärungen

die Sage, -n	Erzählungen über ein historisches Ereignis
die Babenberger (Pl.)	Familie, die in Österreich 976-1246 regierte
einführen	hereinbringen
der Ritter, -	adeliger Krieger, Edelmann
der Kreuzzug, ⸚e	Kriegszug zur Eroberung Jerusalems
der Waffenrock, ⸚e	Uniform
die Schlacht, -en	Kampf zwischen zwei Heeren
blutüberströmt	voll mit Blut

Richard Löwenherz und der Sänger Blondel

Herzog Leopold wurde bei der Eroberung von Akkon vom englischen König Richard Löwenherz schwer beleidigt. Leopold hatte als erster die Festung erreicht, doch ließ der hitzköpfige König die österreichische Fahne herunterreißen und durch seine eigene ersetzen. Daraufhin kehrte Leopold in seine Heimat zurück und wollte sich an König Löwenherz rächen. Als dieser auf dem Rückweg nach England durch Österreich kam, ließ ihn Leopold gefangennehmen und auf der Festung Dürnstein einsperren.

Inzwischen warteten die Engländer vergeblich auf ihren König. Endlich erfuhren sie, daß er in Haft gehalten wurde. Da beschloß der Sänger des Königs, der treue Blondel, seinen Herrn zu suchen und zu befreien. Er zog von Burg zu Burg und sang vor den ver-

Dürnstein mit Burgruine

gitterten Fenstern der Verließe das Lieblingslied des Königs, das beide in glücklicheren Zeiten oft gesungen hatten. Immer wieder zog er enttäuscht weiter, nirgends kam das erwartete Echo aus den Kerkermauern, bis er vor die Festung Dürnstein kam.

Kaum hatte er dort die ersten Verse des Liedes in die Nacht gesungen, da setzte eine Stimme das Lied fort. Der König war gefunden. Nachdem die Engländer für ihn ein hohes Lösegeld bezahlt hatten, wurde er aus der Haft entlassen und konnte in seine Heimat zurückkehren.

Erklärungen

die Festung, -en	Burg
hitzköpfig	ungeduldig, ungestüm
einsperren	in ein Gefängnis bringen
in Haft gehalten werden	eingesperrt sein
das Verließ (Verlies), -e	Gefängnis einer Burg
der Kerker, -	Gefängnis
das Lösegeld, -er	Geld, für das ein Gefangener freigegeben wird

Die Donau so grau ... ?

Jeder weiß, daß die Donau blau ist. Zumindest behauptet das der berühmteste aller Walzer von Johann Strauß, „An der schönen blauen Donau". In Wirklichkeit ist der vielbesungene Strom, übrigens der zweitgrößte Europas, gar nicht so blau. Aber niemand leugnet, daß es an der Donau eine der schönsten Flußlandschaften Europas gibt. Ja, manche meinen, die Wachau, das etwa dreißig Kilometer lange Donautal zwischen Melk und Krems im Westen von Wien, sei die schönste Donaustrecke überhaupt. Ganz sicher zählt die Wachau zu den beliebtesten Urlaubs- und Ausflugszielen in Österreich. Fremdenverkehrsprospekte schwärmen von blühenden Obstgärten und Weinbergterrassen, von kühlen Wäldern und herrlichen Wanderwegen. All das gibt es wirklich, genauso wie die romantischen Ruinen, die imposanten Barockstifte und die verträumten Städtchen beiderseits der Donau. So schön ist die Wachau, daß Richard Löwenherz nach seiner Befreiung durch den Sänger Blondel angeblich nur höchst ungern auf die Aussicht von seinem Dürnsteiner Turmzimmer verzichtet hat. (Das behaupten allerdings Einheimische.) Jedenfalls hätten die Bewohner der Wachau allen Grund, hoffnungsfroh in die Zukunft zu schauen. Das tun sie aber gar nicht. Sie machen sich sogar große Sorgen um „ ihre" Donau. Sie fühlen sich von barbarischen Plänen bedroht, und man hört von Protesten und Appellen zum Schutz der Wachau. Ja, sogar von einem Kampf Beton gegen Reben und Marillen ist die Rede.

Was ist passiert? Wie anderswo geht es auch hier um das Dilemma zwischen Umweltschutz und technischem Fortschritt. Es gibt Pläne, auch in der Wachau ein Kraftwerk zu errichten. Wohl braucht Österreich dringend zusätzliche Energie, aber nicht nur die Anrainer fürchten, daß so ein Kraftwerk mit seinen Betonmauern, Schleusen und Hochspannungsmasten eine einmalige Landschaft zerstören würde. Experten weisen darauf hin, daß ein Wachau-Kraftwerk die Donau in einen trägen grauen Stausee verwandeln würde. Sogar das milde Klima der Wachau könnte sich ändern. Es würden sich nämlich mehr Eis und Nebel bilden, und dann wären Wein und Marillen verloren. Immerhin produziert die Wachau 42 Prozent der österreichischen Weinernte.

Industrie und Wirtschaft träumen schon lange von einem Schiffsweg zwischen der Nordsee und dem Schwarzen Meer. Um die Jahrtausendwende soll der Rhein-Main-Donau-Kanal fertiggestellt sein. Damit aber der große, schwere Europakahn vollbeladen die Donau befahren kann, muß nach Meinung von Fachleuten das Strombett ausgebaut werden. Umweltschützer aber haben Angst vor Betondämmen, die die Landschaft zerstören würden.

Noch ist keine Entscheidung gefallen. Fürs erste haben die Ökologen gewonnen, aber sie wissen, daß auch in der Wachau nicht alles so bleiben wird, wie es ist.

Erklärungen

vielbesungen	es gibt viele Lieder darüber
der Strom, ¨e	breiter Fluß

von etwas schwärmen	von etwas mit Begeisterung, mit großer Freude reden
das Stift, -e	Kloster (mit Grundbesitz, oft mit einer Schule)
verträumt	still, abgelegen
der Einheimische, -n	jemand, der in einem Land zu Hause ist, dort seine Heimat hat
die Rebe, -n	Weinstock
die Marille, -n (österr.)	Aprikose
der Anrainer,-	Anlieger, Nachbar; jemand, dessen Besitz an etwas grenzt
träge	langsam
der Stausee, -n	ein Fluß kann nicht weiterfließen, es entsteht ein See

Wissenswertes über Niederösterreich

Fläche: 19 172,27 km^2 Einwohnerzahl: 1 427 849
Landesfarben: Blau-Gelb
Landeshauptstadt: St. Pölten (50 419 Einwohner)

- ○ Niederösterreich ist das historische Kernland des österreichischen Staates.
- ○ Niederösterreich ist in der Industrie neben Wien führend. Der nördliche Teil ist aber industriearm und daher Abwanderungsgebiet (Landflucht).
- ○ Niederösterreich hat wichtige Erdöl- und Erdgasvorkommen. Östlich von Wien liegt die Großraffinerie Schwechat.
- ○ Niederösterreich ist ein wichtiges Agrargebiet (Weizen, Zuckerrüben, Obst). 65% des österreichischen Weines kommt aus diesem Bundesland, vor allem aus der Wachau und der Umgebung von Wien.
- ○ Die Wachau, das Donautal zwischen Melk und Krems, gehört zu den schönsten Landschaften in Österreich.
- ○ In Niederösterreich gibt es mehr Burgen, Schlösser, Stifte und Abteien als in den anderen Bundesländern.

Stift Melk

Erklärungen	
die Landflucht	die bäuerliche Bevölkerung will in die Stadt ziehen
die Abtei, -en	Kloster

Fragen

1. *Wie entstand der Sage nach die österreichische Fahne?*
2. *Wie heißt das Donautal zwischen Melk und Krems, und wofür ist es bekannt?*
3. *Welche Bodenschätze hat Niederösterreich?*
4. *Welche historischen Persönlichkeiten verbinden Sie mit dem Namen Dürnstein?*

Österreich innovativ

Die oberösterreichische Landeshauptstadt Linz ist mit ihrer Industrie der beste Beweis, daß die Behauptung, der Österreicher sei zwar ein Künstler, aber niemals ein Erfinder oder ein Techniker, ganz einfach nicht stimmt.

In Linz und im steirischen Donawitz wurde 1949/50 eine Technologie entwickelt, die die Stahlfabrikation in aller Welt revolutioniert hat. Beim LD-Verfahren (nach den Städten Linz und Donawitz) wird chemisch reiner Sauerstoff auf flüssiges Roheisen geblasen, das in kurzer Zeit – in etwa fünfzehn Minuten – in qualitativ hochwertigen Stahl verwandelt wird. Das LD-Verfahren ist bedeutend schneller und billiger als alle früheren Methoden. So werden heute weltweit 50 % des gesamten Rohstahls nach dieser von österreichischen Technikern erfundenen Methode hergestellt.

Aber Erfindungen von Österreichern gibt es nicht erst in unserer Zeit. Schon unter der Regierungszeit des Kaisers Franz Joseph erlebte Österreich einen stürmischen Aufschwung von Naturwissenschaften, Technik und Industrie. Viele technische Pionierleistungen aus dieser Zeit sind allerdings heute vergessen . Wer weiß zum Beispiel schon, daß der Tiroler Tischler und Zimmermann Peter Mitterhofer (1822–1893) der Erfinder der Schreibmaschine ist? Seine erste, ganz aus Holz gearbeitete Schreibmaschine kann man heute im Wiener Technischen Museum bewundern. An eine industrielle Produktion dachte 1866 niemand in Österreich, und Mitterhofer starb in Armut. Die Schreibmaschine aber trat später von Amerika aus ihren Siegeszug an.

Zu den großen Erfindern des 19. Jahrhunderts gehört auch Carl Auer von Welsbach (1858–1929), der „österreichische Edison", der den Gasglühstrumpf erfand und damit eine neue Epoche der Beleuchtungstechnik einleitete.

Fast vergessen sind die österreichischen Flugpioniere Wilhelm Kreß (1836–1913) und Igo Etrich (1879–1967). Kreß baute das erste Modell eines Drachenfliegers und unternahm 1901 den ersten Flugversuch mit einem Motorflugzeug, der allerdings mißglückte. Etrich konstruierte zwischen 1903 und 1910 das erste österreichische Motorflugzeug, die sogenannte Etrich-Taube.

Auch im Automobilbau gingen von Österreich wichtige Impulse aus. Siegfried Marcus (1831–1898), ein gebürtiger Mecklenburger, der in Wien eine Mechanikerwerkstätte betrieb, baute das erste, allerdings recht primitive Auto mit einem Benzinmotor.

Der Name von Ferdinand Porsche (1875–1951) ist auch heute noch ein Begriff. Porsche konstruierte mehrere Rennwagenmodelle und gilt als der Vater des Volkswagens. Ein Pionier des Fahrzeugbaus war auch der Steirer Johann

Neue österreichische Tunnelbauweise

Stahlgewinnung im LD-Verfahren

Puch. Er gründete die noch heute nach ihm benannte Firma in Graz, die Fahrräder, Mopeds und Geländefahrzeuge produziert.

Die Leistungen von Österreichern auf naturwissenschaftlichem und technischem Gebiet können sich durchaus sehen lassen. Österreichische Historiker haben sogar ausgerechnet, daß ihr Land bis 1945 im Vergleich zu seiner Bevölkerungszahl mehr Nobelpreisträger hatte als Deutschland und die Vereinigten Staaten von Amerika. Das ist zwar heute nicht mehr so, aber dennoch stammen von 800 000 pro Jahr registrierten Patenten immerhin 8 000 von Österreichern.

Eine der österreichischen Firmen, die heute ihre Technologie mit Erfolg in die ganze Welt verkauft, ist der Metallbetrieb Plasser & Theurer. Er baut Maschinen zur Instandhaltung von Eisenbahngleisen. Diese Gleisstopfmaschinen können in acht Stunden 3 Kilometer Eisenbahngleis auswechseln. Früher mußten für eine gleich lange Strecke 200 Mann fünf Wochen lang hart arbeiten.

Weltweite Beachtung hat auch die „Neue Österreichische Tunnelbauweise“ gefunden. Nur mit Hilfe dieser in Österreich vor einigen Jahren entwickelten Technologie konnten zwei Tunnelgroßobjekte, der 8 320 Meter lange Gleinalm-Autobahn-Tunnel (Steiermark) und der 13 972 Meter lange Arlberg-Straßentunnel, in relativ kurzer Zeit verwirklicht werden. Bei diesem neuen Verfahren werden vier bis sechs Meter lange, daumendicke Stahlstangen, die rund um die Tunnelröhre gesetzt sind, tief ins Gestein einbetoniert. Das ausgebrochene Profil des Tunnels gleicht einem riesigen Igel, dessen Stacheln den enormen Gebirgsdruck auffangen und tragen. Natürlich freuen sich die österreichischen

Tunnelbau-Experten, daß ihre Technologie in Amerika, in den Rocky Mountains, in Arizona, Colorado und Utah, aber auch für den U-Bahnbau in mehreren Großstädten angewendet werden soll.

Ohne zu übertreiben, kann man sagen, daß die Metallwerke Plansee in Reutte (Tirol) weltberühmt sind. Sie verarbeiten Metalle, die erst bei extrem hohen Temperaturen schmelzen. Zu ihren begehrtesten Produkten gehören Spezialteile für Halogen-Scheinwerfer aus dem Metall Molybdän. Neben Plansee gibt es auf der ganzen Welt nur noch drei oder vier Firmen, die Molybdän verarbeiten. 25% der Weltproduktion an metallischem Molybdän kommen aus Tirol. Für die Apollo-Raumschiffe stellten die Plansee-Werke vor einigen Jahren Folien aus Wolfram her, einem Metall, das erst bei 3 410 Grad Hitze schmilzt. Aus Reutte kommen noch unzählige Dinge des Alltags, die ohne diese Metalle nicht denkbar wären. Das Angebot reicht von Senderöhren und Autohupen bis zu Elementen in Röntgenröhren, Herzschrittmachern und Fernsehgeräten und von Spezialwerkzeugen bis zur billigen Mikro-Elektronik in Taschenrechnern und Digital-Armbanduhren. Wer will da noch behaupten, daß die Österreicher nur jodeln, Walzer tanzen und Schi fahren können?

Erklärungen

hochwertig	sehr wertvoll
der Aufschwung	gute wirtschaftliche Entwicklung, Aufstieg
der Gasglühstrumpf, ⸚e	Gaslicht
der Drachenflieger, -	Fluggerät, das wie ein Vogel aussieht
die Instandhaltung	Reparatur, Ausbesserung
begehrt	viel verlangt
die Senderöhre, -n	Elektronenröhre in Rundfunksendern
die Röntgenröhre, -n	Elektronenröhre zur Erzeugung von Röntgenstrahlen
der Herzschrittmacher, -	elektronisches Gerät, das den Herzschlag steuert
der Taschenrechner, -	kleiner, elektronischer Rechner

Wissenswertes über Oberösterreich

Fläche: 11 978,19 km² Einwohnerzahl: 1 269 540
Landesfarben: Weiß-Rot
Landeshauptstadt: Linz an der Donau (199 910 Einwohner)

- Mit großen Unternehmen, die Stahl, Industrieanlagen, Stahlwerke, Maschinen und Chemikalien produzieren, ist Linz eine bedeutende Wirtschaftsmetropole.
- Die Stifte St. Florian, wo Anton Bruckner als Organist wirkte, und Wilhering gehören zu den schönsten sakralen Bauten Österreichs.
- Durch das Weihnachtspostamt ist der Name der barocken Wallfahrtskirche Christkindl (bei Steyr) auf der ganzen Welt bekannt geworden.

○ Die Bundesländer Oberösterreich, Salzburg und Steiermark teilen sich das Salzkammergut. Es gehört zu den beliebtesten Feriengebieten Österreichs. Wichtige Orte sind: Hallstatt, Gmunden, Bad Ischl und St. Wolfgang.

○ Hallstatt ist eine der ältesten Siedlungen Europas. Gmunden ist für seine Keramik und St. Wolfgang durch die Operette „Im weißen Rößl" bekannt. In der Pfarrkirche von St. Wolfgang befindet sich der gotische Altar von Michael Pacher aus dem Jahre 1471.

Erklärungen

die Wallfahrt, -en	Pilgerfahrt
sakral	kirchlich

Aufgaben

Identifizieren Sie die Namen.

1. Wilhelm Kreß
2. Peter Mitterhofer
3. Ferdinand Porsche
4. Carl Auer von Welsbach
5. Johann Puch

Erklären Sie kurz.

1. LD-Verfahren
2. Etrich-Taube
3. Salzkammergut
4. Plansee
5. St. Florian

Stiftskirche St. Florian mit Bruckner-Orgel

Hallstatt

SALZBURGER FESTSPIELE 1990

26. JULI – 31. AUGUST

Oper
Un ballo in maschera · Fidelio · Don Giovanni
Idomeneo, Rè di Creta · Così fan tutte
Capriccio

Schauspiel
Jedermann · Das Mädl aus der Vorstadt
Die Jüdin von Toledo

Zyklen
Konzertante Opern: Thema »Orpheus«
Solisten spielen Kammermusik · Streichquartette aus USA

Orchesterkonzerte · Solistenkonzerte · Liederabende
Mozart-Matineen · Serenaden · Kirchenkonzerte · Lesungen
Kammerkonzerte · »Jedermann«-Ausstellung

Festabend
70 Jahre Salzburger Festspiele

SPIELPLAN/PROGRAMME
(Ausgabe Dezember 1989)
DIREKTION DER SALZBURGER FESTSPIELE · SALZBURG · FESTSPIELHAUS
Telefon: (0 66 2) 80 45 · Telegramme: Festspiele Salzburg · Telex: 633880
Telefax: (0 66 2) 89 11 14

Pressegespräch mit einem Vertreter der Salzburger Festspiele

Presse (P): Es ist sehr schwer, Karten für die Salzburger Festspiele zu bekommen, ja, es wird behauptet, die Festspiele hätten ein Geheimsystem für die Verteilung der Karten. Was sagen Sie dazu?

Salzburger Festspiele (S): Ja, wir kennen diese Klagen, und es ist richtig, daß wir nicht alle Kartenwünsche erfüllen können, leider, alles andere ist aber nur ein Gerücht. Und dazu muß ich Ihnen eine kleine Geschichte erzählen. Bei uns hat ein gewisser Herr Zander Berühmtheit erlangt. Dieser Herr hat uns nämlich jahrelang mit seinen Kartenwünschen bombardiert. Als er wieder einmal nicht alle bestellten Karten erhielt, schrieb er uns, er hätte seinen Namen auf Fogosch geändert, denn er vermute, die Kartenwünsche würden alphabetisch berücksichtigt. Daher hätte ein Mann, der ausgerechnet Zander heiße, so gut wie keine Chancen.

P: Und hat Fogosch tatsächlich bessere Chancen?

S: Nein, überhaupt nicht. Wir bearbeiten alle Bestellungen, die zu einem bestimmten Termin eingelangt sind, gleichzeitig. Aber es ist natürlich so, daß in Salzburg jeden Sommer die Nachfrage das Angebot einfach bei weitem übertrifft.

P: Das ist ein Problem, das manche Firmen nur allzu gerne hätten, aber nun eine andere Frage. Was sagen Sie zu einem anderen Vorwurf, daß die Salzburger Festspiele, die vom Staat doch riesige Subventionen bekommen, ein

Amadeus

Er ist der beliebteste Komponist der Österreicher(innen). 53 % „lieben ihn sehr". Und 60 % haben zumindest ein Werk Mozarts einmal ganz gehört. An der Spitze der bekanntesten Werke steht „Die Zauberflöte". Aber nicht alle denken beim Namen „Mozart" nur an Musik. Salzburg und Mozart sind beinahe Synonyme, und nicht wenigen kommen bei Mozart eher Mozartkugeln in den Sinn, jene Pralinen aus Marzipan und Schokolade, die zu den beliebtesten Mitbringseln aus Österreich zählen. Und welche Assoziationen haben Sie zu Mozart? Welches seiner Werke haben Sie einmal ganz gehört? Und welche Melodie von Mozart fällt Ihnen ein?

Wolfgang Amadeus Mozart (1756–1791)

„elitäres Spektakel" für „Ruhrbarone" seien oder bestenfalls ein teurer Anachronismus?

S: Ja, es ist richtig, daß wir ohne Subventionen nicht auskommen könnten, aber schauen Sie, man hat auch ausgerechnet, daß die Festspiele in Wirklichkeit sehr viel Geld in die öffentlichen Kassen zurückfließen lassen. Schließlich bezahlen die Künstler Steuern, und die Gäste lassen sehr viel Geld in den Hotels, Restaurants und in den Geschäften der Stadt. Und die Kartenpreise? Nein, billig sind wir sicher nicht, aber bedenken Sie, was viele Leute, nicht nur Reiche, für ihre Autos oder den Urlaub ausgeben. Man muß nicht unbedingt ein Ruhrbaron sein, um sich einmal in Salzburg eine Oper anzuschauen.

P: Das bringt mich auf meine nächste Frage. Was ist eigentlich das Besondere an den Salzburger Festspielen?

S: Wir versuchen, für ein paar Wochen im Sommer die besten Orchester, die weltbesten Dirigenten, die berühmtesten Regisseure, Sänger und Schauspieler nach Salzburg zu bringen. Wenn Sie wollen, wir bieten ein Festival der Stars, wie man es heute kaum woanders finden kann.

P: Wie beurteilen Sie die Zukunft der Festspiele?

S: Da sind wir ziemlich optimistisch. Schließlich haben die Salzburger Festspiele seit ihrer Gründung 1920 schon politische Umstürze, den Zweiten Weltkrieg, aber auch die verschiedensten Kunstströmungen überdauert. Wir sind überzeugt, daß auch in Zukunft Besucher aus aller Welt gerne im Sommer nach Salzburg kommen werden. Im übrigen hilft uns da natürlich schon der Ruf Salzburgs als eine der schönsten Städte der Welt.

P: Wir danken Ihnen für das Gespräch.

Erklärungen

der Zander, -	ein Fisch
der Fogosch, -e	der ungarische Name für Zander
ausgerechnet	gerade
der Ruhrbaron, -e	ironisch: reicher Industrieller aus dem Ruhrgebiet
der Umsturz, ¨-e	Revolution
die Kunstströmung, -en	Tendenz in der Kunst

Wissenswertes über das Land Salzburg

Fläche: 7 153,60 km² Einwohnerzahl: 442 301
Landesfarben: Rot-Weiß
Landeshauptstadt: Salzburg (139 426 Einwohner)

- ○ Salzburg war bis 1803 im Besitz der Salzburger Erzbischöfe. Erst seit 1816 ist es ein Teil Österreichs.
- ○ Land und Stadt Salzburg spielen im österreichischen und internationalen Fremdenverkehr eine wichtige Rolle.
- ○ Das Land Salzburg hat die größte Kraftwerksgruppe Österreichs. Das Kraftwerk Kaprun mit seinem Stausee und der Gletscherbahn ist auch eine Touristenattraktion.
- ○ Badgastein ist mit seinen radioaktiven Thermen einer der wichtigsten der zweihundert Kurorte in Österreich.
- ○ In Salzburg regnet es sehr oft. Der Salzburger Schnürlregen ist sprichwörtlich.
- ○ Die Krimmler Wasserfälle sind die höchsten in Europa.
- ○ Das wohl berühmteste Weihnachtslied, „Stille Nacht, heilige Nacht“, entstand 1818 in Oberndorf bei Salzburg.

Erklärungen

der Kurort, -e	Badeort
der Schnürlregen	anhaltender Regen (besonders in Salzburg)
sprichwörtlich	allgemein bekannt

Salzburg: Getreidegasse

Kraftwerk Kaprun

Aufgaben

1. *Welche Argumente werden in dem Text für und welche gegen die Salzburger Festspiele vorgebracht? (Verwenden Sie ein extra Blatt Papier.) Welche Argumente finden Sie wichtig? Warum?*

Argumente	
dafür	dagegen

2. *Was halten Sie von Festspielen? Würden Sie sich dafür interessieren? Warum (nicht)? Gibt es in Ihrem Land Festspiele? Berichten Sie.*

Die Gastarbeiter-Route

Gröbming in der Steiermark an einem Sommernachmittag

Eine idyllische Alpenlandschaft: Heuschober, Kühe trotten am Waldrand, an der Straße ein einfacher Dorfgasthof, daneben ein alter Kastanienbaum. Doch die Idylle täuscht. Man hört keine Kuhglocken, nur ein Rattern und Dröhnen. Das Echo rast noch hinterher. Es riecht auch gar nicht nach Heu, sondern nach Auspuffgasen.

Wir befinden uns auf dem „Trampelpfad Europas". Die Straße, die von Salzburg quer durch die Steiermark bis zum Grenzort Spielfeld an der jugoslawischen Grenze führt, ist auch als „Europas große Todesstraße" bekannt. Unglaubliches passiert dort: jährlich rollen auf dieser Straße Millionen von Menschen in Millionen Fahrzeugen. Viele davon sind Gastarbeiter in Deutschland. Zu Weihnachten, zu Ostern und in den Sommerferien fahren sie schwerbeladen in ihre Heimatländer, nach Jugoslawien, Griechenland und in die Türkei. Aber die österreichischen Straßen sind einer derartigen Masseninvasion nicht gewachsen. Sie sind schnell verstopft, und es kommt zu langen Kolonnen. Manchmal bricht der Verkehr sogar total zusammen. Kilometerlange Staus und stundenlange Wartezeiten sind keine Seltenheit. Auf einmal bricht ein Auto aus und überholt riskant. So lassen sich die Tausende von Unfällen pro Jahr auf dem nur 330 Kilometer langen Teilstück der Gastarbeiter-Route in Österreich leicht erklären. Viele Fahrer haben, wenn sie die Steiermark erreichen, schon zehn bis zwölf Stunden Fahrt hinter sich. Sie sind übermüdet und erschöpft, aber sie haben es eilig …

Die Österreicher sind ratlos, wie sie die vielen Unfälle verhindern können. Manchmal protestieren sie, wie etwa die Einwohner von Wildon in der Südsteiermark. Als der Rückstau von der jugoslawischen Grenze einmal 25 Kilometer lang war, machten sie einen Sitzstreik. Heute haben sie ihre Umfahrung und saubere Luft; auch können sie in der Nacht wieder bei offenem Fenster schlafen.

Viele Österreicher ärgern sich auch, weil sie an den durchrasenden Ausländern gar nichts verdienen. Die tanken nicht an österreichischen Tankstellen, essen nicht in österreichischen Restaurants und kaufen natürlich auch keine Souvenirs. Sie wollen nur so schnell wie möglich heimkommen. Kein Wunder, daß für viele Österreicher die Gastarbeiterstrecke eine Alptraumstraße ist.

Erklärungen

Gröbming	Ort in der Obersteiermark
der Heuschober, - (österr.)	Heuhaufen
trotten	langsam gehen
rasen	schnell fahren
der Trampelpfad, -e	Weg, auf dem viele gehen bzw. fahren
die Umfahrung, -en (österr.)	Umgehungsstraße, Umleitung
der Alptraum, ¨-e	böser Traum

Graz: Hauptplatz und Schloßberg mit Uhrturm

Ratsch an der südsteirischen Weinstraße: Ein Klapotez, der die Vögel vertreibt

Wissenswertes über die Steiermark

Fläche: 16 387,93 km²
Landesfarben: Weiß-Grün
Landeshauptstadt: Graz (243 166 Einwohner) Einwohnerzahl: 1 186 525

- ○ Der Name „Steiermark" kommt von den Markgrafen von Steyr (heute in Oberösterreich).
- ○ 52 % der Steiermark sind Wald. So erklären sich die Beinamen „grüne Mark" und „das grüne Herz Österreichs".
- ○ Kein anderes Bundesland hat die landschaftlichen Kontraste der Steiermark. Von den Gletschern im Norden sind es nur drei Autostunden zu den Weinbergen im Süden.
- ○ Die Steiermark ist ein wichtiges Industrieland (Eisen- und Stahl, Holz- und Papierindustrie).
- ○ Graz ist ein äußerst fruchtbarer Boden für zeitgenössische kulturelle Ereignisse. Der „steirische herbst" ist eines der spannendsten Avantgarde-Festivals in Europa. Bekannte Autoren wie Peter Handke und Wolfgang Bauer haben in Graz zu schreiben begonnen.

Aufgaben

Erklären Sie.

a) Gastarbeiter-Route b) die „grüne Mark" c) Graz
d) „steirischer herbst" e) Peter Handke

Das Land Kärnten zu dem man den Urlaub erfand

Im Urlaub will der Gast dem hektischen und monotonen Alltag, dem überlasteten Terminkalender und der Abhängigkeit vom Telefon entfliehen. Zur Erholung von Umweltschäden und den Auswirkungen von Lärm, Luftverpestung und Wasserverschmutzung würden wir Ihnen einmal eine Reise in das Urlaubsland Kärnten empfehlen. Bei einer Begegnung mit südlichen Bergen und sauberen Badeseen, mit viel Sport, guter Unterhaltung, einer gesunden Umwelt und gastfreundlichen Menschen wird es Ihnen leicht fallen, den Alltag zu vergessen.

Eingebettet zwischen Bergen im Norden und im Süden liegen über 200 warme Badeseen, von denen der Wörther See, der Millstätter See, der Ossiacher See, der Weißensee, der Faaker und der Klopeiner See die bekanntesten sind. Wassersportler kommen hier beim Segeln, Wasserskilaufen, Rudern oder Surfen voll auf ihre Rechnung. Und in den Kärntner Bergen können Sie sich gesund wandern. Oder machen Sie Urlaub auf dem Bauernhof. Vielleicht sollten Sie Ihren Urlaub mit einem Kuraufenthalt in einem der vielen Heilbäder Kärntens verbinden. Auch empfehlen wir Ihnen eines unserer Hobbyprogramme, wie z.B. Goldwaschen, Bauernmöbel-und Hinterglasmalen, Pilze- und Beerensammeln, Schnitzkurse oder Blumenstecken. Auch der Kunstinteressierte kommt in Kärnten nicht zu kurz. Neben Theater- und Musikfestivals, an ihrer Spitze der „Carinthische Sommer“ in Ossiach, finden Sie viele prachtvolle Kirchen, Burgen und Schlösser.

Erklärungen

entfliehen	flüchten
die Auswirkung, -en	Resultat
die Luftverpestung	Luftverschmutzung
auf seine Rechnung kommen	zufrieden sein
nicht zu kurz kommen	nicht zu wenig bekommen

Wissenswertes über Kärnten

Fläche: 9 531,90 km^2 Einwohnerzahl: 536 179
Landesfarben: Gelb-Rot-Weiß
Landeshauptstadt: Klagenfurt (87 321 Einwohner)

○ 1918 besetzte Jugoslawien Südostkärnten. In einer Volksabstimmung entschieden sich 1920 jedoch 59 % der Kärntner für Österreich.

- ○ In Südkärnten lebt eine slowenische Volksgruppe. Die Slowenen haben das Recht, ihre Muttersprache zu verwenden. In Klagenfurt haben sie ein eigenes Gymnasium.
- ○ Mit seinem milden Klima und seinen vielen Seen ist Kärnten ein sehr beliebtes Urlaubsziel.
- ○ In Kärnten liegt der höchste Berg Österreichs, der 3 797 Meter hohe Großglockner.
- ○ Die Stadt Ferlach ist noch heute für ihre Jagdwaffen-Industrie weltbekannt.

Heiligenblut mit Blick auf den Großglockner

Erklärungen

die Volksabstimmung, -en
Plebiszit
die Jagdwaffe, -n
Gewehr für die Jagd

Fragen

1. *Mit welchen Argumenten wirbt der Text für Kärnten als Urlaubsland? Unterstreichen Sie im Text die Schlüsselwörter.*
2. *Kärnten bietet sehr viele Freizeitmöglichkeiten. Welche sagen Ihnen am meisten zu?*

Heuduft und Hahnenschrei

„Mutti, fahr mit mir aufs Land!“ Diesen Wunsch äußern Stadtkinder immer öfter. Und auch die Erwachsenen zieht es zunehmend zur idealen Erholung in die Bergwelt auf einen Bauernhof. „Mit der Kuh auf du“ war in den letzten Jahren bereits die Devise Tausender Österreich-Urlauber, die fernab von Großstadtrummel oder überfüllten Stränden Ferien auf dem Lande verbrachten - und begeistert nach Hause zurückkehrten. Der Urlaub am Bauernhof hat viele Anhänger gefunden, selbst unter alten Urlaubshasen wird ein solcher Aufenthalt als „Insidertip“ unter Freunden weitergegeben.
Ist das Quartier geschmackvoll ausgestattet, der Aufenthaltsraum gemütlich, der Frühstückstisch mit hübschem Geschirr richtig gedeckt, ist man sofort mitten drin in der rich-

tigen Urlaubsstimmung. Die Waldwege hinter dem Haus, der frische Heugeruch, das Muhen der Kühe sind unmittelbare Naturerlebnisse, die viele Städter nur mehr vom Hörensagen kennen.

Besonders für Kinder ist es jedesmal ein großes Abenteuer, Haustiere aus nächster Nähe zu beobachten und zu sehen, woher die Milch und die Eier kommen, wie das Obst auf den Bäumen und das Getreide auf den Feldern wächst.

Urlauber bringen Leben und Abwechslung ins Bauernhaus. Das wissen auch die Gastgeber zu schätzen, und in Kürze sind freundschaftliche Kontakte zu den Gästen hergestellt. Interessante Gespräche kommen in Gang, Erfahrungen über die eigene Welt, die zwischen Städtern und Bauern immer noch große Unterschiede aufweist, werden in gemütlichem Beisammensein ausgetauscht.

Bei Familien mit Kindern ist der preiswerte Bauernhofurlaub während der Sommerferien am meisten gefragt. Doch wenig bekannt ist, daß diese rustikale Art der Unterkunft auch in der kälteren Jahreszeit durchaus möglich ist und zahlreiche Gehöfte Gäste auch im Frühjahr und Herbst aufnehmen.

(Aus dem *Ferienjournal*)

Aus einer Schüler-Umfrage in einem Tiroler Fremdenverkehrsort

Bringt der Fremdenverkehr Nachteile für euch zu Hause?

JA: 61 – Begründung	3. Klasse Hauptschule
Eltern haben für die Kinder keine Zeit	18
Familie kann nicht beisammen sein	10
zuviel Arbeit	9
Familienleben ist gestört	7
Kinder müssen ruhig sein	3
keine Erholung	2
gibt viel Ärger	2

man muß Informationen geben	1
machen manche Dinge kaputt	1
Gäste halten keine Ordnung	1
Fremdenverkehr ist schädlich für die Gesundheit	1
Kinder vergessen ihre Hausaufgaben	1
Kinder müssen arbeiten	1
Gäste wollen durch Geschenke billiger leben	1
man braucht Angestellte	1

Erklärungen

einen Wunsch äußern	sich etwas wünschen
mit der Kuh auf du sein	hier: den Kühen nahe sein
der Großstadtrummel	Lärm der Großstadt
der alte Urlaubshase, -n	Urlaubsexperte
geschmackvoll	schön, stilvoll
die Urlaubsstimmung	gute Laune, Fröhlichkeit im Urlaub
etwas vom Hörensagen kennen	etwas nur vom Erzählen, nicht aus eigener Erfahrung kennen
in Gang setzen	beginnen
das Gehöft, -e	Bauernhof

Fragen

1. *Was spricht für den Urlaub auf dem Bauernhof? Welche Argumente bringt der Text für einen solchen Urlaub?*
2. *Im Text werden „romantische" Vorstellungen über das Leben auf dem Lande genannt. Nennen Sie einige.*
3. *Wie ist das Verhältnis der Urlauber zu den Einheimischen? Vergleichen Sie den Text mit den Schülerantworten. Welche Unterschiede können Sie feststellen?*

Der Bergbauernhof – eine Idylle?

Ist die Welt des Bergbauern wirklich eine solche Idylle, wie sie das „Ferienjournal" auf Seite 36–37 zeigt? In Tirol gibt es noch viele Bergbauern. Sie haben aber wenig Zeit, die Natur zu genießen. Oft hassen sie die Berge sogar. Ihre Kinder haben es weit in die Schule. Im Winter sind die Wege oft zugeschneit. Lehrer und Schüler können dann die Schule nicht erreichen, und der Unterricht fällt aus.

Die Bergbauern müssen viele Lebensmittel selbst vom Tal hinauftransportieren. Manche Bauernhöfe haben noch kein elektrisches Licht, kein Fernsehen, kein Telefon. Viele

Arbeiten auf dem Feld müssen noch heute mit der Hand gemacht werden. Die Bauern verdienen oft nicht mehr als das Existenzminimum. So ist es kein Wunder, wenn viele junge Leute nicht mehr auf dem Bergbauernhof bleiben wollen. Sie gehen lieber in die Fabrik oder arbeiten in den Fremdenverkehrsorten als Kellner oder Schilehrer. Manchmal verkaufen die Bauern sogar ihre Felder als Baugründe für Hotels und Restaurants oder als Schipisten.

Viele Leute meinen, daß Bergbauer ein schöner Beruf ist. Aber niemand möchte selbst einer werden. Was der Tourist sieht, ist oft nur eine Fassade. Für ihn mag die Welt der Berge ein Paradies sein, für den Bergbauern bedeutet sie harte Arbeit und einen ständigen Kampf ums Überleben.

Erklärungen

die Idylle, -n	besonders schöne Situation
zugeschneit	durch Schnee versperrt
verdienen	Geld durch Arbeit bekommen
das Existenzminimum	zum Überleben notwendiges Geld
die Fassade, -n	hier: nicht die Wirklichkeit

Fragen und Aufgabe

1. *Wie wird in diesem Text das Leben der Bergbauern gesehen?*
2. *Warum wollen die jungen Leute nicht auf dem Bauernhof bleiben?*
3. *Schreiben Sie mit Hilfe der Informationen aus beiden Texten einen kurzen Bericht zum Thema „Bergbauern".*

Wissenswertes über Tirol

Fläche: 12 649,95 km ^{2} Einwohnerzahl: 586 663
Landesfarben: Weiß-Rot
Landeshauptstadt: Innsbruck (117 287 Einwohner)

- Tirol hat seinen Namen vom Schloß der Grafen von Tirol bei Meran (Südtirol).
- Tirol besteht aus drei Teilen. Nord- und Osttirol bilden das österreichische Bundesland Tirol. Südtirol ist seit 1919 bei Italien. Die rund 250 000 deutschsprachigen Südtiroler sind italienische Staatsbürger und haben eine Teilautonomie. Ortsnamen und Aufschriften sind doppelsprachig. Für Südtiroler Kinder gibt es deutschsprachige Schulen.
- Mit 46 Menschen pro km^2 ist Tirol das am dünnsten besiedelte Gebiet Österreichs. 25 % der Fläche sind als Hochgebirge unproduktives Land.

Innsbruck

Zürs in Vorarlberg

- Tirol ist das Fremdenverkehrsland Nummer eins in Österreich. 1989 gab es ungefähr 43 Millionen Übernachtungen, die meisten davon von Ausländern. Das ist mehr als Kärnten und Salzburg zusammen oder 35 % aller Übernachtungen in Österreich. Tirol hat die meisten Reisebüros, Mietautos, Jugendherbergen, Seilbahnen, Schilifte, Schutzhütten, Fremdenführer und Schilehrer.
- Eine besondere Rolle im Tiroler Fremdenverkehr spielt der Wintersport. Kitzbühel und St. Anton am Arlberg sind die Zentren der „weißen Saison". In Innsbruck fanden 1964 und 1976 die Olympischen Winterspiele statt.

Erklärungen

die Seilbahn, -en	Bergbahn, die von einem Seil gezogen wird
die Schutzhütte, -n	(einfaches) Haus zum Übernachten (besonders in den Bergen)

„Das Ländle"

Vorarlberg ist Österreichs westlichstes Bundesland. Für seine Einwohner liegt es gegenüber dem restlichen Österreich tatsächlich „vor dem Arlberg". Es grenzt im Norden an die Bundesrepublik Deutschland, im Westen an die Schweiz und an das Fürstentum Liechtenstein, im Osten an Tirol. Die Vorarlberger sprechen Alemannisch, einen dem Schweizerischen und Schwäbischen verwandten Dialekt.

Als 1918 das Habsburgerreich zerbrach, wollten sich viele Vorarlberger an die Schweiz anschließen. Die Schweiz zeigte aber nur wenig Interesse, und selbstverständlich war die Regierung in Wien dagegen. Inzwischen hat sich das „Ländle", wie Vorarlberg oft genannt wird, mit „Innerösterreich" wohl aus Überzeugung arrangiert. Seit kurzem verbindet der längste Straßentunnel der Welt Vorarlberg mit Tirol. Manchmal jedoch kommt es zu Reibereien zwischen den föderalistischen Alemannen und den Zentralisten in Wien. Ein Konflikt brach aus, als 1964 der damalige Verkehrsminister, ein Wiener, ein neues Bodenseeschiff nach dem ersten Bundespräsidenten der Zweiten Republik „Karl Renner" taufen wollte. Tausende von Demonstranten vertrieben den Minister, und einige schrieben schließlich „Vorarlberg" auf „ihr" Schiff. Der Minister mußte nachgeben. Die Vorarlberger aber meinen, daß ihnen dieser Akt viel Respekt verschafft hat.

Heute ist die Zusammenarbeit mit Wien und den anderen Bundesländern gut. Die Dornbirner Messe ist ein wichtiger gesamtösterreichischer Handelsplatz, und die Bregenzer Festspiele wären ohne die Schauspieler und Musiker aus Wien nicht denkbar. Für viele Österreicher ist Vorarlberg trotzdem exotisch fern. Kommt man vom Osten Österreichs nach Vorarlberg, glaubt man fast, man wäre schon in der Schweiz. Für manchen Vorarlberger dagegen ist Tirol noch immer der ferne Osten.

Erklärungen

die Reiberei, - en	Streit
taufen	einen Namen geben
vertreiben	wegjagen

Bregenz am Bodensee

Wissenswertes über Vorarlberg

Fläche: 2 601,28 km² Einwohnerzahl: 305 164
Landesfarben: Rot-Weiß
Landeshauptstadt: Bregenz (24 561 Einwohner)

- ○ Vorarlberg ist im Vergleich zum übrigen Österreich überdurchschnittlich industrialisiert (Textilindustrie).
- ○ Die Vorarlberger verdienen von allen Österreichern am besten.
- ○ Die Ill-Kraftwerke exportieren zwei Drittel der erzeugten Energie in die Bundesrepublik Deutschland.
- ○ Vorarlberg hat weltbekannte Wintersportorte: Lech, Zürs u.a.
- ○ Ein Kuriosum: Das Kleinwalsertal gehört zu Österreich. Es ist aber nur von Deutschland aus zu erreichen. Daher ist es seit fast hundert Jahren im deutschen Wirtschaftsraum. Die Post verwendet österreichische Briefmarken, aber man muß sie mit deutschem Geld kaufen.

Das Burgenland: Eine kurze Geschichte

Das Burgenland wird manchmal „das jüngste Kind Österreichs“ genannt. Es wurde nämlich erst im Jahre 1921 ein Bundesland Österreichs. Vorher war es ein Teil Ungarns und hieß Westungarn. Es lebten hier hauptsächlich Deutsche, zum Teil auch Kroaten, aber nur wenige Ungarn. Als nach dem ErstenWeltkrieg die Republik Österreich gegründet wurde, verlangten die Bewohner von Deutsch-Westungarn den Anschluß an Österreich. Der Friedensvertrag erfüllte diesen Wunsch, nur die Hauptstadt Ödenburg (ungarisch: Sopron) blieb bei Ungarn. Zuerst sollte dieses Gebiet nach den Städten Preßburg, Wieselburg, Ödenburg und Eisenburg „Vierburgenland“ heißen. Diese Städte kamen bei der endgültigen Grenzziehung zwar

Bauernhäuser am Neusiedler See

nicht an Österreich, doch gaben sie dem neuen Bundesland seinen Namen. Das Land erhielt nun eine eigene Verwaltung. Seit 1925 ist Eisenstadt seine Landeshauptstadt.

In der Zeit der deutschen Besetzung von 1938 bis 1945 war das Burgenland auf „Niederdonau“ und Steiermark aufgeteilt. 1945 erhielt es seinen Namen und seine Stellung als eigenes Bundesland zurück.

Wissenswertes über das Burgenland

Fläche: 3 965,33 km² Einwohnerzahl: 269 771
Landesfarben: Rot-Gold
Landeshauptstadt: Eisenstadt (10 102 Einwohner)

- Die Bevölkerung des Burgenlandes ist zu 88 % deutschsprachig, 10 % kroatisch und 2 % magyarisch.
- Das Burgenland ist vor allem ein Agrarland (Weizen, Mais, Gemüse, Obst; Konservenindustrie). Ein Drittel der österreichischen Weinernte kommt aus dem Burgenland.
- Weil es keine Arbeit gab, wanderten früher viele Burgenländer aus, vor allem in die USA. In Chicago leben mehr Burgenländer als in Eisenstadt. Heute müssen die Burgenländer nicht mehr auswandern, aber viele pendeln täglich nach Wien.
- Der Neusiedler See ist ein Paradies für Wassersportler und für seltene Vögel. In seinem Schilfgürtel leben zweihundert Vogelarten. Mit 320 km² ist er der größte See Österreichs. (Den Ungarn gehört auch ein Stück.) Er ist leicht salzig und sehr seicht.
- Im Schloß Esterházy in Eisenstadt wirkte Joseph Haydn viele Jahre als Kapellmeister.

Erklärungen

Niederdonau	Name Niederösterreichs während der Hitler-Zeit
pendeln	täglich zur Arbeit in eine andere Stadt fahren
seicht	nicht tief
das Schilf	Sumpfpflanze; hohes Gras, das besonders an Ufern wächst
der Kapellmeister, -	Leiter eines Orchesters, Dirigent

Ist das richtig?

	ja	nein	Korrektur
1. Vorarlberg ist das jüngste Bundesland Österreichs.			
2. Die Vorarlberger sprechen Alemannisch.			
3. Das Burgenland ist stark industrialisiert.			
4. Im Burgenland gibt es sprachliche Minderheiten.			
5. Die Hauptstadt Vorarlbergs liegt am Bodensee.			

Kleines Bundesländer-Quiz

(Wenn Sie die Fragen nicht beantworten können, dürfen Sie eine Minute lang im Text danach suchen.)

1. An wie viele Länder grenzt Österreich?
2. Wie heißt die zweitgrößte Stadt Österreichs?
3. Welches Bundesland kam als letztes zu Österreich?
4. Der Tiroler Peter Mitterhofer machte eine wichtige Erfindung. Um welche handelt es sich?
5. Welche Bundesländer teilen sich das Salzkammergut?
6. In welchem Bundesland gibt es eine slowenische Minderheit?
7. 53 % aller Österreicher lieben seine Musik sehr. Um wen handelt es sich?
8. In dieser Stadt fanden zweimal die Olympischen Winterspiele statt. Welche Stadt ist es?
9. In welchem Bundesland spricht man Alemannisch?
10. Wie heißt der höchste Berg Österreichs?

Schloß Esterházy in Eisenstadt

Bauernhof im Bregenzer Wald

Für jede richtig beantwortete Frage gibt es 1 Punkt.

10 Punkte:	Einfach super!
8-9 Punkte:	Woher wissen Sie das alles?
6-7 Punkte:	Guter Durchschnitt
5 Punkte: und weniger:	Auf einigen Gebieten gut informiert, aber Achtung: Noch weiße Flecken!

Bereiten Sie nun selbst fünf Quizfragen vor.
(Die Antworten sollen im Kapitel 2 zu finden sein!)
Spielen Sie dann mit einem Partner oder in einer Gruppe Ihre Version vom Bundesländer-Quiz.

Richtige Antworten: 1. Sieben; 2. Graz; 3. Burgenland; 4. die Schreibmaschine; 5. Oberösterreich, Salzburg, Steiermark; 6. Kärnten; 7. Mozart; 8. Innsbruck; 9. Vorarlberg; 10. Großglockner.

3 Österreichs Geschichte

Ostarrichi

Österreichs Geographie prägt seine Geschichte. In den Ebenen, im Hügelland und an den Rändern der Gebirge konnten sich schon sehr früh Kulturlandschaften und Staatsgebiete entwickeln. Um 1000 v. Chr. siedelten sich Illyrer, ein indoeuropäisches Volk, am Alpen-Ostrand an, wo es viele Bodenschätze gab. Von ihrem hohen zivilisatorischen Niveau zeugen Funde, die bei Hallstatt in Oberösterreich gemacht wurden. Später entstand in Kärnten Norikum, ein keltischer Staat. Die Römer dehnten dann ihr Reich bis an die Donau aus, die lange nicht nur politische Grenze, sondern auch Grenze zwischen römisch-christlicher und germanisch-heidnischer Kultur blieb. Die Römer bauten Straßen und gründeten Siedlungen, aus denen sich später österreichische Städte entwickelten: Vindobona-Wien, Lentia-Linz, Juvavum-Salzburg, Brigantium-Bregenz.

Während der Völkerwanderung (4. Jahrhundert) wurde das Alpenvorland ein wichtiger Durchgangs- und Verbindungsraum. Germanische Völker überrannten die römischen Donau- und Alpenprovinzen. Sie stießen mit den Slawen zusammen, die ebenfalls in den Raum eingedrungen waren. Zwischen 500 und 700 wanderten die Baiern in das Land

Opferwagen von Strettweg (Beigabe eines hallstattzeitlichen Reitergrabes)

ein, nahmen es in Besitz und kolonisierten es. Karl der Große gründete nach seinem Sieg über das Reitervolk der Awaren eine Grenzmark im Raum zwischen Enns und Wien, die allerdings später von den Ungarn angegriffen wurde. Nachdem im 10. Jahrhundert auch die Ungarn besiegt worden waren, entstand diese Grenzmark zum zweiten Mal. Die Familie der Babenberger übernahm darin die Herrschaft. Die Babenberger drängten die Ungarn weiter zurück und erweiterten die Mark nach Osten und Süden. Wien wurde ihre Residenzstadt. Aus den großen Kämpfen der Zeit hielten sie sich sehr geschickt heraus, so daß das Land unter ihrer Herrschaft eine wirtschaftliche und kulturelle Blütezeit erlebte. Vor allem aber verstanden es die Babenberger in den 270 Jahren ihrer Regierung ihren Besitz auf friedlichem Wege zu vergrößern. So erbten sie die Steiermark und kauften die Städte Linz und Wels.

Die Babenberger schufen das Fundament für einen eigenen österreichischen Staat. 996 taucht auch zum ersten Mal in einer Urkunde der Name Österreich als „Ostarrichi" (= Ost-Reich) auf. Allein durch seine Grenzlage gewann dieses Österreich schon unter den späteren Babenbergern eine große Eigenständigkeit innerhalb des Heiligen Römischen Reiches.

Erklärungen

prägen	formen
sich ansiedeln	sich an einem Ort niederlassen, seßhaft werden
die Bodenschätze	z.B. Kohle, Eisen
heidnisch	nicht christlich, ungläubig
die Herrschaft übernehmen	die Regierung übernehmen
geschickt	klug
sich heraushalten	mit einer Sache nichts zu tun haben wollen
die Blütezeit, -en	Höhepunkt
auftauchen	erscheinen, plötzlich da sein
die Urkunde, -n	Dokument
die Eigenständigkeit	Selbständigkeit, Unabhängigkeit

Habsburg

Als die Babenberger 1246 ausstarben, fielen deren Länder an die Habsburger. Der Stammsitz der Habsburger lag in der Schweiz. Auch im schwäbischen Raum hatten sie große Besitzungen. So ist es verständlich, daß sie versuchten, ihren neuen Besitz im Osten des Reiches mit dem alten zu verbinden. Da sie als Könige und Kaiser an der Spitze des Reiches standen, wollten sie auch ihre „Hausmacht" vergrößern. Ohne eine solche war die Stellung eines Kaisers des Heiligen Römischen Reiches fast bedeutungslos.

Um die Mitte des 14. Jahrhunderts erwarben die Habsburger Kärnten, Tirol und Teile von Vorarlberg. Damit hatten sie sich einen Korridor aus eigenen Besitzungen zwischen

Wien und der Schweiz errichtet. Ihre Schweizer Stammbesitzungen verloren sie allerdings schon sehr früh. In den folgenden Jahrhunderten gingen sie systematisch daran, ihre Hausmacht zu vergrößern. Das taten sie nicht zuletzt durch eine kluge Heiratspolitik. So erheiratete sich Maximilian I. 1477 Burgund und die Niederlande. Als Maximilians Sohn eine spanische Prinzessin heiratete, fiel Spanien mit seinem riesigen Kolonialreich an die Habsburger. Karl V. (1500-1558) vereinigte alle habsburgischen Länder in einer Hand. Die Habsburger waren zur mächtigsten Dynastie Europas, ihre Hausmacht zur Weltmacht geworden. Mit Recht konnte Karl V. sagen, daß in seinem Reich die Sonne nie untergehe.

Später wurde dieses riesige Reich auf mehrere Linien der Familie Habsburg aufgeteilt. Die österreichisch-deutsche Linie versuchte, ihre Hausmacht im Osten weiter auszubauen. Als Kaiser Ferdinand I. 1526 Ungarn und Böhmen erbte, waren die Umrisse der späteren Österreichisch-Ungarischen Monarchie festgelegt. Freilich entwickelten sich die Länder, über die die Habsburger herrschten, noch lange eigenständig. Durch die gemeinsame Dynastie entstand jedoch ein Zusammengehörigkeitsgefühl. Auch in politischer, wirtschaftlicher und kultureller Hinsicht wurden die Verbindungen der so verschiedenartigen Länder immer enger. In Wien liefen alle Verbindungen zusammen. Die Stadt entwickelte sich zur glanzvollen Metropole eines mächtigen Reiches.

Erklärungen

der Stammsitz, -e	Ort, in dem eine Familie zuerst wohnt
verständlich sein	man kann es verstehen
die Hausmacht	Territorialmacht einer Dynastie
mächtig	einflußreich
der Umriß, -sse	äußere Grenzlinie, Kontur

Maria Theresia

Eine der bedeutendsten Herrscherpersönlichkeiten der Habsburger war Kaiserin Maria Theresia. Als sie 1740 mit dreiundzwanzig Jahren die Regierung antrat, war Österreich ein großes und desorganisiertes Reich. Einige Fürsten wollten die Situation ausnützen und machten der jungen, unerfahrenen Monarchin das Erbe streitig. Maria Theresias größter Gegner wurde Friedrich II. von Preußen, der Österreich in mehrere Kriege verwickelte. In der Folge mußte Österreich zwar reiche Provinzen an Preußen abtreten, doch gab sich Maria Theresia nicht geschlagen. Im Gegenteil, sie war fest entschlossen, ihre Länder zusammenzuhalten und zu modernisieren. Nicht zuletzt um sich gegen ihre Rivalen durchzusetzen, leitete sie viele wichtige Reformen ein, die sich zum Teil bis heute auswirken. Zuallererst reorganisierte sie die Armee und das Finanzwesen. Aus feudalen Ländern wurde ein einheitlicher Beamtenstaat mit einer zentralen Verwaltung. Für die damalige Zeit revolutionär war die Reform des Schulwesens, die für alle Kinder eine sechsjährige Schulpflicht vorsah.

Maria Theresia (1717-1780)

Franz Joseph I. (1830-1916)

Trotz der großen Belastung durch die Regierungsgeschäfte hatte Maria Theresia Zeit für ein intensives Familienleben. Die Kaiserin führte eine glückliche Ehe und war eine begeisterte Mutter. Sie gebar sechzehn Kinder, denen sie viele Briefe mit Ratschlägen und Ermahnungen schrieb. Auch als ihre Kinder schon erwachsen und verheiratet waren, schrieb sie ihnen unverblümt ihre Meinung. Hauptsorge Maria Theresias war dabei der Kindersegen. Am liebsten hätte sie alle Throne Europas mit ihren Kindern und Enkeln besetzt. Für ihre Töchter betrieb die Kaiserin eine ehrgeizige, rücksichtslose Heiratspolitik, in der Liebe keine Rolle spielen durfte. Freilich stiftete sie auf diese Weise keine glücklichen Ehen. Die bekannteste ihrer Töchter ist Marie Antoinette, die als Königin von Frankreich während der Französischen Revolution hingerichtet wurde. Schwierig war das Verhältnis Maria Theresias zu ihrem Sohn Joseph, der seiner Mutter als deutscher Kaiser folgte und in den österreichischen Ländern Mitregent war. Seine radikalen Reformen und seine gegen die katholische Kirche gerichtete Politik fanden nur selten die Billigung der Mutter.

Beim Volk war Maria Theresia sehr beliebt. Als sie 1780 starb, herrschte echte Trauer. Ihre Leistungen als große Reformerin ehrte auch das republikanische Österreich, das ihr anläßlich ihres 200. Todestages am 29. November 1980 eine Silbermünze, eine Briefmarkenserie und eine große Ausstellung im Schloß Schönbrunn, ihrer Lieblingsresidenz, widmete. Übrigens, manche sehen in Maria Theresia die erste Karrierefrau Österreichs, die sich in Beruf, Ehe und Familie gleichermaßen verwirklichte.

Erklärungen	
ausnützen (südd., österr.)	einen Vorteil aus etwas ziehen
jemandem etwas streitig machen	jemandem etwas wegnehmen wollen
jemanden in etwas verwickeln	jemanden in etwas hineinziehen
abtreten	jemandem etwas überlassen
sich geschlagen geben	aufgeben, resignieren
einleiten	beginnen, einführen
sich auswirken auf	Folgen haben
die Schulpflicht	man muß eine Schule besuchen
die Belastung, -en	Sorge, Druck
unverblümt	offen, direkt
der Kindersegen	die vielen Kinder
die Billigung	Zustimmung, Erlaubnis
widmen	schenken, darbringen
gleichermaßen	ebenso, genauso
sich verwirklichen	hier: erfolgreich sein, tätig sein

Österreich-Ungarn

Im 19. Jahrhundert vergrößerte sich die Rivalität zwischen Preußen und Österreich um die Vorherrschaft in Deutschland. Das Heilige Römische Reich war zerfallen. So war es nur mehr eine Formalität, als Kaiser Franz 1806 die römische Kaiserkrone niederlegte. Schon 1804 hatte er den Titel „Kaiser von Österreich" angenommen. 1866 kam es zum Krieg zwischen Preußen und Österreich. Österreich verlor diesen Krieg und wurde aus Deutschland verdrängt. Die „kleindeutsche" Idee, die ein Deutsches Reich ohne Österreich vorsah, hatte gesiegt. Österreich konzentrierte sich nun auf seine eigenen Probleme, besonders auf das Nationalitätenproblem. In der Donaumonarchie lebten ja ein Dutzend verschiedensprachiger Völker, die unabhängig sein wollten. Um den Vielvölkerstaat zu retten, mußte ein Kompromiß gefunden werden. 1867 bekam Ungarn weitgehende Autonomie. Österreich-Ungarn, wie die Monarchie nun hieß, bildete einen harmonischen Wirtschaftsraum. Die industrialisierten Gebiete in den Alpenländern und in Böhmen fanden ihre natürliche Ergänzung in den Agrargebieten Ungarns. Der wirtschaftliche Aufschwung, den Österreich-Ungarn vor dem Ersten Weltkrieg erlebte, konnte seinen Zusammenbruch jedoch nicht verhindern.

Die Nationalitäten bekämpften einander immer heftiger. Auch der Plan des Thronfolgers Franz Ferdinand, den Slawen mehr Selbständigkeit zu geben, half nichts mehr. Schon während des Weltkrieges löste sich die Monarchie auf. Als 1916 Kaiser Franz Joseph im Alter von 86 Jahren starb, war auch das letzte Band, das die zerstrittenen Völker Österreichs zusammengehalten hatte, gelöst. Kaiser Karl verzichtete auf die Regierung und ging ins Schweizer Exil. Am 12. November 1918 wurde in Wien die Republik ausgerufen.

Titel Seiner kaiserlichen und königlichen Apostolischen Majestät:

Großer Titel

Franz Joseph I., von Gottes Gnaden Kaiser von Österreich; König von Ungarn und Böhmen, von Dalmatien, Kroatien, Slawonien, Galizien, Lodomerien und Illyrien; König von Jerusalem etc.; Erzherzog von Österreich; Großherzog von Toscana und Krakau; Herzog von Lothringen; von Salzburg, Steyer, Kärnten, Krain und der Bukowina; Großfürst von Siebenbürgen, Markgraf von Mähren; Herzog von Ober- und Niederschlesien, von Modena, Parma, Piacenza und Guastalla, von Auschwitz und Zator, von Teschen, Friaul, Ragusa und Zara; gefürsteter Graf von Habsburg und Tirol, von Kyburg, Görz und Gradisca; Fürst von Trient und Brixen; Markgraf von Ober- und Niederlausitz und in Istrien; Graf von Hohenembs, Feldkirch, Bregenz, Sonnenberg etc.; Herr von Triest, von Cattaro und auf der windischen Mark; Großwojwod der Wojwodschaft Serbien etc. etc.

H.C. Artmann
Mein Vaterland Österreich

Österreich bestand ehedem
aus den folgenden Ländern:
dem Erzherzogtume Österreich,
dem Herzogtume Steyermark,
der gfürchteten Grafschaft Tyrol
nebst Vorarlberg,
dem Königreiche Böhmen,
der Markgrafschaft Mähren,
dem österreichischen Anteil an Schlesien,
dem Königreiche Illyrien,
dem Königreiche Galizien und
  Lodomerien,
dem Lombardisch-venezianischen
  Königreiche,
dem Königreiche Ungarn mit seinen
  Nebenländern Slawonien, Kroatien,
  und Dalmatien
und dem Großfürstentume Siebenbürgen.

Heute besteht Österreich
aus den Ländlein:
Wien,
Niederösterreich,
Oberösterreich,
Salzburg,
Tirol,
Fahrradlberg,
Kärnten.
Steiermark
und dem Burgenland.
Tu, felix Austria, juble und jodle!*

* Anspielung auf den lateinischen Satz „Bella gerant alii, tu, felix Austria, nube!“ (= Kriege mögen andere führen, du, glückliches Österreich, heirate!) Dieser Vers sollte zeigen, daß die Habsburger ihr Land vor allem durch politische Ehen (und nicht durch Kriege) vergrößerten.

Erklärungen

die Vorherrschaft	politisch führende Rolle
verdrängen	zur Seite schieben, nicht mehr an seinem Platz lassen
heftig	stark

sich auflösen	auseinanderfallen
ausrufen	proklamieren
gfürchtete Grafschaft Tyrol	Wortspiel (sich fürchten) aus „gefürstete Grafschaft“ (Fürst)
Fahrradlberg	Wortspiel aus „Vorarlberg“

Aufgaben

Was sagen Ihnen diese Daten? Bilden Sie immer einen kurzen Satz.

996	Der Name „Österreich“ kommt zum ersten Mal vor.
1740	
1804	
1916	
1918	

Suchen Sie im Text noch weitere Daten, und erklären Sie die Ereignisse.

Vergleichen Sie den „Großen Titel“ Kaiser Franz Josephs mit H.C. Artmanns Gedicht „Mein Vaterland Österreich“. Fallen Ihnen im Gedicht sprachliche „Ungenauigkeiten“ auf? Was will Artmann mit diesem Gedicht aussagen?

Der Friedensvertrag von St. Germain

Der Friedensvertrag von St. Germain (1919) brachte den Verlust wichtiger Gebiete (Südtirol). Die Nachfolgestaaten auf dem Territorium der Monarchie verhielten sich feindlich und sperrten ihre Grenzen und damit die Lebensmittelzufuhr. Die Hauptstadt eines 50-Millionen-Reiches war für einen Kleinstaat zu groß. Es gab Lebensmittelknappheit und Hungersnot. Die meisten Österreicher glaubten nicht, daß ihr Land überhaupt lebensfähig sei, und wollten einen Anschluß an Deutschland. Diesen verbot jedoch der Friedensvertrag. Auch durfte sich der neue Staat nicht „Deutsch-Österreich“ nennen, wie er es wollte. Aus der Republik Deutsch-Österreich wurde die Republik Österreich. Das ist auch heute der offizielle Staatsname Österreichs.

Erklärungen

die Nachfolgestaaten (Pl.)	die nach dem Zusammenbruch Österreich-Ungarns neu entstandenen Staaten (z.B. die Tschechoslowakei)
die Lebensmittelknappheit	es gibt zu wenig Lebensmittel
lebensfähig	in der Lage zu leben

Die Erste Republik

Unmittelbar nach der Gründung der Republik einigten sich die großen Parteien, Christlichsoziale und Sozialdemokraten, über die Bildung einer gemeinsamen Regierung. Doch die Zusammenarbeit dauerte nicht lange. Im Gegenteil, bald bildeten die Parteien ihre Privatarmeen, und es kam zu blutigen Zusammenstößen. Die wirtschaftliche Lage des Landes war katastrophal. Es gab Inflation und Arbeitslosigkeit.

1932 wurde der christlichsoziale Politiker Engelbert Dollfuß Bundeskanzler. Auch ihm gelang es nicht, die politische und wirtschaftliche Situation Österreichs zu verbessern. Es gab große Feindseligkeiten zwischen den großen politischen Gruppen, den Christlichsozialen (= Konservativen), den Sozialdemokraten und den Deutschnationalen. Dollfuß, der ein „christliches" Österreich wollte und sich dem faschistischen Italien annäherte, schaltete das Parlament aus, verbot die Sozialdemokratische Partei und regierte autoritär. Österreich wurde praktisch zu einer faschistischen Diktatur. Es kam zu einem Bürgerkrieg, den wohl die Regierung gewann, der aber nicht die erwartete innenpolitische Ruhe brachte. Immer stärker wurden die Terrorwellen der Nationalsozialisten, die Dollfuß bei einem Putschversuch im Juli 1934 ermordeten. Der Putsch scheiterte zwar, doch arbeitete die Zeit eindeutig für die Anhänger Hitlers. Die österreichische Regierung konnte sich dem Druck der Nationalsozialisten nicht mehr lange widersetzen. „Gott schütze Österreich ...!" waren die letzten Worte vor dem deutschen Einmarsch, die Bundeskanzler Kurt Schuschnigg über den Rundfunk sprach. Kurz darauf schrien schon viele Österreicher „Ein Volk, ein Reich, ein Führer". Auch die internationale Welt nahm die Besetzung Österreichs und die Eingliederung in das Deutsche Reich zur Kenntnis. Nur Mexiko protestierte ...

Erklärungen

unmittelbar	sofort, gleich
ausschalten	nicht mitarbeiten lassen, verbieten
der Bürgerkrieg, -e	Krieg zwischen Bewohnern desselben Staates
scheitern	keinen Erfolg haben, mißlingen
eindeutig	sehr klar
der Anhänger, -	jemand, der einer Person treu folgt
sich widersetzen	Widerstand leisten, standhalten
der Einmarsch	militärische Besetzung, Okkupation
der Bundeskanzler, -	Titel des Regierungschefs in Österreich

Der Anschluß

Im März 1938 wurde Österreich in das Deutsche Reich „heimgeführt". Die meisten Österreicher waren für den Anschluß und begrüßten Hitler mit großem Jubel. Mehr als 600 000 Österreicher traten spontan der NSDAP bei. Der Nationalsozialismus hatte in ihnen die Hoffnung auf Arbeit und Brot geweckt. Tatsächlich erfüllten sich in der

Einmarsch der deutschen Truppen in Wien. März 1938

ersten Zeit viele Hoffnungen. Daß jedoch Hitlers Wundermittel gegen die Arbeitslosigkeit Rüstung und Vorbereitung für den Krieg hieß, wurde auch in Österreich erst viel zu spät erkannt. Die Zahl der Jubelnden schwand bald. Hunderttausende Österreicher verbluteten an der Front, wurden vertrieben, ins KZ verschleppt oder vergast.

Die meisten Bewohner der „Ostmark" reagierten darauf zwar mit regimekritischen Witzen, aktiven Widerstand gegen das Regime gab es jedoch kaum. Das Land mußte teuer dafür bezahlen, daß auch manche seiner Bürger für die Greuel der Nazi-Herrschaft mitverantwortlich waren. Als der Krieg zu Ende und für Deutschland verloren war, wollten freilich die meisten Österreicher die Untaten ihres Landsmannes Adolf Hitler und manch anderer Nazigrößen möglichst schnell vergessen.

Erklärungen

die Rüstung	Bewaffung, Kriegsvorbereitung
schwinden	kleiner werden
verschleppen	mit Gewalt wegbringen
Ostmark	Name Österreichs von 1938 bis 1942 (später: „die Alpen- und Donaugaue")
der Greuel, -	schreckliche Tat

Flüsterwitze im annektierten Österreich

Im März 1938 verkündete ein Transparent auf der Wiener Ringstraße: „Wien ist frei“! Frau Pollak zu Frau Rubinstein: „Was, die Deutschen sind schon wieder weg?“

Erscheint ein Herr beim Standesamt und äußert den Wunsch, seinen Namen ändern zu lassen. „Wie heißen Sie denn?“ fragt der Beamte.
„Adolf Pimpelhuber.“ „Nun gut, ich verstehe Ihren Wunsch. Welchen Nachnamen möchten Sie denn?“ „Der Nachname soll bleiben, aber Peter will ich heißen.“

Endlich ist es Blau gelungen, sich die Ausreise nach Amerika zu ermöglichen. In New York besucht er Kohn, der schon mehr als ein Jahr dort ist. Mit Erstaunen bemerkt Blau in der Wohnung Kohns ein Hitlerbild an der Wand.
„Bist du übergeschnappt? Wozu hast du denn das?“ fragte er. „Gegen‘s Heimweh!“

Graf Bobby wird von der Gestapo festgenommen und nur unter der Bedingung freigelassen, daß er sich verpflichtet, für die geheime Staatspolizei zu arbeiten. Tags darauf trifft er seinen Freund Rudi und fragt ihn: „Wie denkst du über das Dritte Reich?“ „Komische Frage. Genauso wie du!“ „Tut mir leid, dann muß ich dich verhaften!“

Graf Bobby meldet sich freiwillig zum Militär. Der Einstellungsoffizier sagt: „Sie können sich aufgrund ihrer freiwilligen Meldung die Waffengattung aussuchen, bei der Sie dienen möchten!“
Bobby: „Am liebsten möcht ich ins Führerhauptquartier, bittschön.“
Der Einstellungsoffizier : „Sind Sie verrückt?“ Bobby: „Nein. Ist das Vorbedingung?“

... und nach Kriegsende:

Graf Bobby sitzt in seinem Wiener Stammcafé und bestellt: „Eine Melange, Herr Ober, und den ‘Völkischen Beobachter’, bitte“. Der Kellner serviert den Kaffee:
„Herr Graf, ‘Völkischen Beobachter’ gibt‘s keinen mehr.“ Nach Trinken des Kaffees bestellt Bobby wieder: „Einen Kognak, Herr Ober, und den ‘Völkischen Beobachter’.
„Aber Herr Graf, ich hab doch schon gesagt: Den ‘Völkischen Beobachter’ gibt‘s nicht mehr!“ „Ich weiß, aber ich hör‘s so gern.“

Erklärungen

verkünden	bekanntgeben
erscheinen	kommen
das Standesamt, -‹er	Amt, bei dem Geburten, Eheschließungen und Todesfälle eingetragen werden
mit Erstaunen	mit Verwunderung, mit Befremden
übergeschnappt	verrückt
Graf Bobby	bekannte österreichische Witzfigur. Der dazugehörige Partner ist fast immer sein Freund Rudi.

der Einstellungsoffizier, -e	Rekrutierungsoffizier
die Waffengattung, -en	Truppenteil
die Melange (österr.)	Kaffee mit Milch
„Völkischer Beobachter“	nationalsozialistische Zeitung

Neubeginn 1945

1945 wurde wie schon einmal bei Null angefangen. Einen wesentlichen Unterschied gab es allerdings. Diesmal glaubten die Österreicher an ihre Zukunft. Schon während der NS-Zeit hatten sich in den Konzentrationslagern Politiker aller Parteien getroffen und über eine Neuordnung Österreichs nach dem Krieg gesprochen. Alle waren sich einig, daß man sich von Deutschland trennen würde und die Fehler aus der Ersten Republik nicht wiederholen dürfe.

Am 27. April 1945 proklamierte die provisorische Regierung von Dr. Karl Renner die Wiedererrichtung der Republik Österreich. Die Alliierten teilten das Land in vier Besatzungszonen. Trotz vieler Schwierigkeiten wurden die Kriegszerstörungen relativ schnell überwunden. Das „Wirtschaftswunder“ sollte auch nach Österreich kommen. Tatsächlich hatten die Österreicher aus den Fehlern der Ersten Republik gelernt. Die beiden großen politischen Parteien entschlossen sich zu einer stabilen und fruchtbaren Zusammenarbeit in einer Koalitionsregierung, die bis 1966 bestand. Heute haben nicht alle Österreicher nur gute Erinnerungen an diese Koalition. Sie führte nämlich auch zu einem Proporzsystem, nach dem alle wichtigen Posten im Staat mit einem „Schwarzen“ und einem „Roten“ besetzt wurden. Ein Parteibuch war oft die wichtigste Qualifikation. Anpassung und Mißwirtschaft waren an der Tagesordnung. Die Vorteile überwogen jedoch die Nachteile. Der gemeinsame Aufbau des armen, zerstörten und hungrigen Landes konnte nur in einer friedlichen, geregelten Zusammenarbeit erreicht werden.

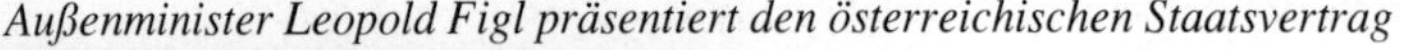
Außenminister Leopold Figl präsentiert den österreichischen Staatsvertrag

Der Kalte Krieg ließ Österreich zehn Jahre auf seine endgültige Freiheit und Unabhängigkeit warten. 1955 gelang es österreichischen Politikern, eine günstige weltpolitische Konstellation auszunützen. Nach langen Verhandlungen erklärte sich auch die Sowjetunion bereit, sich aus Österreich zurückzuziehen.

Am 15. Mai 1955 wurde im Wiener Belvedere der Staatsvertrag unterzeichnet. Nach siebzehn Jahren war Österreich nun wieder ein wirklich freies Land. Im Herbst 1955 verließen die Besatzungstruppen Österreich, und am 26. Oktober desselben Jahres beschloß das Parlament in Wien einstimmig das Neutralitätsgesetz.

Erklärungen

sich einig sein	die gleiche Meinung haben
die Kriegszerstörung, -en	Kriegsbeschädigung
etwas überwinden	mit etwas fertigwerden, es rasch erledigen
ein „Schwarzer“	Mitglied der Anhänger der Österreichischen Volkspartei (ÖVP), ein Konservativer
ein „Roter“	Mitglied oder Anhänger der Sozialistischen Partei Österreichs (SPÖ), ein Sozialist
an der Tagesordnung sein	häufig vorkommen

Die jüngste Vergangenheit

Seit 1955 genießt Österreich als neutraler, jedoch westlich orientierter Staat internationale Achtung. Daß Österreich heute ein wichtiges Asylland ist, ist nicht allgemein bekannt. Dabei hat Österreich seit dem Ende des Zweiten Weltkrieges mehr als zwei Millionen Flüchtlinge aufgenommen, von denen über 600 000 im Lande geblieben sind. Und seit vielen Jahren arbeitet Österreich aktiv an den großen internationalen Organisationen mit. So gibt es zum Beispiel in etlichen Krisengebieten starke Kontingente österreichischer UNO-Soldaten. Die Nachkriegsära ist heute auch für Österreich vorbei. Seit 1989 ist es nicht mehr der „Wachtturm der Freiheit am Eisernen Verhang“. Seit die Grenzen offen sind, kommen viele Besucher aus den osteuropäischen Ländern. Und die wollen nicht nur schauen und einkaufen. Viele sehen in Österreich ein Vorbild. Für sie ist Österreich ein „westliches Ufer“, von dem aus sie Hilfe, Kooperation und westliches Know-how bekommen. Die meisten Österreicher sind ja den Nachbarn gegenüber auch durchaus hilfsbereit eingestellt; viele hoffen auf gute Geschäfte. Mit seinem EG-Beitrittsantrag hat Österreich 1989 jedoch ein Signal gesetzt. Es will eindeutig im Westen stehen und ist bereit und interessiert, voll und gleichberechtigt an dem Prozeß der europäischen Integration teilzunehmen und ihn in Zukunft mitzugestalten. Mit seiner starken Wirtschaft sieht sich Österreich als wertvoller Partner der EG. Der deutschen Wiedervereinigung stehen die meisten Österreicher positiv gegenüber, doch an einem Wiederanschluß Österreichs an Deutschland ist nie-

Österreichs Außenminister Alois Mock (links) und sein tschechoslowakischer Amtskollege Jiří Dienstbier (rechts) durchschneiden am 17. Dezember 1989 bei Laa an der Thaya gemeinsam ein Stück des „Eisernen Vorhangs".

mand interessiert. Der österreichische Bundeskanzler Vranitzky sprach wohl für die Mehrheit seiner Landsleute, als er 1989 erklärte: „Österreich wird ein selbständiger und selbstbewußter Staat bleiben."

Aufgaben

1. *Sie kennen die österreichische Geschichte jetzt schon sehr gut. Tragen Sie die wichtigsten Fakten stichwortartig in die Tabelle ein. Nehmen Sie dafür ein Blatt Papier, wenn Sie hier nicht genug Platz haben.*

1000 v. Chr. –1246	
1246–1740	Babenberger sterben aus; Habsburger kommen usw.
1740–1804	
1804–1918	
1919–1938	
1938–1945	
1945–1955	
1955–heute	

2. *Über welche Ereignisse der österreichischen Geschichte würden Sie gerne mehr wissen?*

4 Staat und Politik

Parlamentarische Demokratie

Österreich ist eine parlamentarische Demokratie. Der oberste Repräsentant des Staates ist der *Bundespräsident*. Er wird direkt vom Volk auf sechs Jahre gewählt. Der Bundespräsident ernennt die Bundesregierung und die Bundesbeamten und vertritt die Republik nach außen.

Die eigentlichen Regierungsgeschäfte führt der *Bundeskanzler*, der mit den *Bundesministern* die *Bundesregierung* bildet.

Die Legislative besteht aus zwei Kammern. Dem *Nationalrat* gehören 183 Abgeordnete an, die auf vier Jahre gewählt werden. Der *Bundesrat* vertritt die Interessen der Länder gegenüber dem Bund.

Das „eigentliche Parlament" ist der *Nationalrat*. Der *Bundesrat* dagegen ist fast machtlos und hat nur geringe Bedeutung.

Föderalismus

Die neun Bundesländer sind historisch gewachsene Einheiten. Sie haben in manchen Angelegenheiten weitgehende Selbständigkeit. Jedes Bundesland hat seine eigene *Landesregierung*, die aus dem *Landeshauptmann* und den *Landesräten* besteht. Die Parlamente der Bundesländer heißen *Landtage*.

Die Bezirke

Die Bundesländer sind in *Bezirke* eingeteilt. Jeder Bezirk hat eine Verwaltungsbehörde, die *Bezirkshauptmannschaft*, die von einem Beamten, dem *Bezirkshauptmann*, geleitet wird. (In der Steiermark gibt es inzwischen die erste „Bezirkshauptfrau" des Landes.)

Die Gemeinden

Die Bezirke bestehen aus Gemeinden. Das sind Städte, Märkte und Dörfer. Die Gemeinden sind für lokale Angelegenheiten verantwortlich (z.B. Ortspolizei, Müllabfuhr, Straßen, aber auch Meldewesen und Standesamt). An der Spitze einer Gemeinde steht der Bürgermeister.

Politische Parteien

Vier politische Parteien spielen heute in Österreich eine Rolle, die SPÖ (Sozialistische Partei Österreichs), die ÖVP (Österreichische Volkspartei), die FPÖ (Freiheitliche Partei Österreichs) und die Grünen.

In der Ersten Republik gab es große politische und ideologische Gegensätze zwischen den Parteien. Politische Gegner waren damals Feinde, die einander verachteten und bekämpften. Ideologien und Parteiprogramme sind im heutigen Österreich nicht mehr dominierend. Auch wenn sich die politischen Parteien in der Theorie stark unterscheiden, stimmen sie in der politischen Praxis oft überein.

Die Sozialistische Partei Österreichs (SPÖ)

Die Sozialistische Partei Österreichs wurde 1899 von Victor Adler gegründet. Bei der Errichtung der Republik 1918 noch eine treibende Kraft, wurde sie von der Regierung Dollfuß verboten und erst 1945 wiedergegründet.

In der Theorie verfolgt die SPÖ ein eher „linkes" Programm. So ist ihr Ideal eine Gesellschaft ohne Klassen und Privilegien. Auch attackiert sie das kapitalistische System. In der Praxis jedoch ist die SPÖ längst nicht mehr nur die Partei der Arbeiter, sondern eine Partei der Mitte, in der Ideologie eine immer kleinere Rolle spielt. Manche sprechen von der SPÖ als von einer „linksliberalen Volkspartei". Auf jeden Fall ist die SPÖ heute eine moderne, westlich orientierte sozialdemokratische Partei mit Wählern in allen Berufsgruppen.

Die Österreichische Volkspartei (ÖVP)

Die Österreichische Volkspartei ist eine christlich-demokratische Partei, die 1945 wohl von Vertretern der alten Christlichsozialen Partei gegründet wurde, sich jedoch klar vom autoritären Regime dieser Zeit distanzierte.

Die ÖVP sieht sich als eine moderne Partei der „fortschrittlichen Mitte“, die die Freiheit des einzelnen und sein Recht auf Selbstbestimmung sowie Leistung und Eigenverantwortung betont. Einer ihrer Grundsätze ist: So viel Markt wie möglich und so viel Staat wie nötig. Zugleich bekennt sich die ÖVP jedoch zu sozialer Sicherheit und zu Partnerschaft zwischen Arbeit und Kapital.

Für die neunziger Jahre hat die ÖVP das Konzept der „ökosozialen Marktwirtschaft“ entwickelt, in der Umweltschutz und Umweltsanierung in das marktwirtschaftliche System integriert werden sollen. Der Markt soll die Umwelt schützen; Umweltschutz soll ein attraktives „Produkt“ werden.

Die Freiheitliche Partei Österreichs (FPÖ)

Die FPÖ versteht sich als eine fortschrittliche, liberale Partei, die besonders für leistungsorientierte junge Menschen („Aufsteiger“) attraktiv sein will. In der Praxis ist die FPÖ eine „Mehrkomponentenpartei“ mit zwei Flügeln, einem größeren, deutschnationalen („Österreich ist Teil der deutschen Volks- und Kulturgemeinschaft“) und einem kleineren, liberalen Dazu kommt eine gar nicht mehr so kleine Gruppe aus Unzufriedenen und Protestwählern, denen die beiden großen Parteien zu wenig flexibel und dynamisch, aber auch zu langweilig geworden sind.

Die Grünen

Wie in anderen westeuropäischen Ländern gibt es auch in Österreich ein breites Spektrum von Gruppen, die sich als Grüne bezeichnen, auch wenn sie aus verschiedenen politischen Richtungen kommen, Die Grünen, die heute auch im Parlament vertreten sind, verstehen sich nicht nur als Partei des Umweltschutzes, sondern auch als Opposition zu den „etablierten“ Parteien. So versuchen sie, die ihrer Meinung nach noch zu wenig liberale und tolerante Demokratie in Österreich aufzulockern und veraltete Strukturen aufzubrechen.

Erklärung

eine treibende Kraft	führend, aktiv
das Recht auf Selbstbestimmung	Recht auf eigenes Handeln

Sozialpartnerschaft

Österreich gehört zu den Ländern, wo praktisch nie gestreikt wird. Das Land hat eine sehr stabile Währung, und die Zahl der Arbeitslosen ist relativ gering. Die Österreicher sind sehr stolz auf all das und führen ihren Erfolg auf einen neuen politischen Stil zurück, den sie nach 1945 einführten. Um nicht wieder in eine so katastrophale wirtschaftliche

Situation zu kommen wie in der Ersten Republik, entschlossen sich Vertreter der Arbeitgeber und der Arbeitnehmer zu einer in Europa einzigartigen Zusammenarbeit. Auf freiwilliger Basis schufen sie die „Paritätische Kommission", in der die „Sozialpartner" (Unternehmer, Gewerkschaften, Regierung) gleichberechtigt vertreten sind. Diese Kommission entscheidet praktisch über alle Lohn- und Preiserhöhungen. In der Sozialpartnerschaft treten die Einzelinteressen zurück. Man denkt zuerst an die Gesamtwirt-schaft. Ein Politiker hat die Sozialpartnerschaft mit einer Ehe ohne Liebe verglichen. Zum Glück für die Österreicher funktioniert diese Ehe ganz gut.

Erklärungen

die Währung, -en	Geld eines Landes
gleichberechtigt	mit gleichen Rechten

Der Sozialstaat

Österreich gilt als einer der fortschrittlichsten Sozialstaaten Europas. Auf Gebieten wie Arbeitszeit, Feiertage, Urlaub, Kündigung, Abfertigung, Pension und Arbeitslosenunterstützung liegt Österreich nach Schweden in Europa an zweiter Stelle.

Praktisch alle Österreicher sind krankenversichert. Da die Beiträge für die Krankenversicherung nicht kostendeckend sind, leistet der Staat Jahr für Jahr Milliardenzuschüsse. Ähnlich ist es bei den Pensionen.

In jüngster Zeit hört man aber in Österreich immer mehr den Vorwurf, daß manche soziale Einrichtungen überhandgenommen haben. Ein Beispiel ist die Gratisschulbuchaktion (alle Schüler bekommen die Schulbücher vom Staat gratis), die von ihren Gegnern als Verschwendung bezeichnet wird.

Fest steht jedoch, daß die meisten Österreicher auf Sicherheit, die ihnen die sozialen Einrichtungen gebracht haben, trotz der hohen Kosten nicht verzichten möchten. Auch alle politischen Parteien bekennen sich zum Sozialstaat.

Erklärungen

die Abfertigung, -en (österr.)	Abfindung; Geld, das Angestellte und Arbeiter nach mindestens drei Jahren bekommen, wenn ihnen gekündigt wird
die Arbeitslosenunterstützung	Geld, das ein Arbeitsloser bekommt
der Zuschuß, -<sse	Subvention
überhandnehmen	sich zu sehr vermehren, groß werden
die Verschwendung	unnötige Geldausgabe

Die Österreicher und die Politik

Sind die Österreicher besonders politische Menschen? Man könnte es fast meinen. Immerhin besitzt fast jeder dritte Österreicher über sechzehn ein Parteibuch. Auch die Wahlbeteiligung war bis vor kurzem extrem hoch. Tatsache ist auch, daß in Österreich das gesamte gesellschaftliche Leben viel stärker von den politischen Parteien bestimmt wird als in den meisten europäischen Ländern. Die Parteien sind überall. Sie haben ihre eigenen Zeitungen, ja sogar viele Hilfsorganisationen wie Automobil- und Wanderclubs, Wohnbaugesellschaften und Mietervereine. Eine der Großparteien dominiert jeweils in Verbänden wie dem Gewerkschaftsbund oder den landwirtschaftlichen Genossenschaften. Zugleich sitzen deren Vertreter aber vielleicht in Regierung und Parlament.

Parteipolitik greift in Österreich in viele, oft alltägliche Bereiche ein. So kann ein Parteibuch noch immer wichtig für eine Karriere im öffentlichen Dienst sein, ja es kann sogar zu einer schöneren Wohnung verhelfen. „Filzokratie", die oft nicht durchschaubare Vermischung von Politik, Gesellschaft und Privatinteressen, gibt es auch in Österreich. In den achtziger Jahren ist all dies jedoch aufgebrochen in Richtung internationale Normalität. Die Menschen sind nicht mehr so autoritätsgläubig, sondern – auch politisch – mobil geworden. Ideologien sind nicht mehr so gefragt, und das Vertrauen in die alten großen Parteien wird immer geringer. Besonders Österreicher mit höherer Bildung und höherem Einkommen sind nicht mehr so schnell bereit, sich einer Partei anzuschließen. Sie brauchen die Parteien für eine Wohnung oder eine Karriere ja nicht mehr. So gibt es auch immer mehr Wechselwähler, die das „Machtkartell" von SPÖ und ÖVP, die mit wechselnden Mehrheiten seit 1945 in Österreich regieren, ablehnen und immer häufiger die kleineren Parteien, die FPÖ und die Grünen, wählen. Die politische Landschaft in Österreich ist auf jeden Fall bewegter, differenzierter und spannender geworden. Viele Österreicher träumen im übrigen von einer sauberen Landschaft und einer schmutzfreien Wirtschaft , die zwar effizient ist, aber nicht belästigt. So sind Fragen der Ökologie zu den wichtigsten in der Politik geworden.

Erklärungen

die Wahlbeteiligung	Teilnahme an einer Wahl
in etwas eingreifen	sich einmischen
der öffentliche Dienst	Staatsdienst

Aufgaben

1. *Vergleichen sie das politische System Österreichs mit jenem in Ihrem Land.*
2. *Gibt es in Ihrem Land politische Parteien, die jenen in Österreich ähnlich sind? Berichten Sie darüber.*
3. *Erklären Sie kurz die folgenden Begriffe:*

a) Nationalrat	d) Bundeskanzler	g) Landeshauptmann	j) Landtag
b) Landesrat	e) Bundespräsident	h) Landesregierung	
c) Bundesrat	f) Bezirkshauptmann	i) Bundesregierung	

5 Wirtschaft

Bevor Sie weiterlesen: Nennen Sie Produkte, die Sie für „typisch österreichisch" halten. Welche Produkte aus Österreich sind Ihnen bekannt? Welche werden in Ihr Land importiert?

System

Das System der österreichischen Wirtschaft ist das der sozialen Marktwirtschaft, wie man sie auch in anderen westlichen Ländern findet. Der Staat regelt und stützt bestimmte Preise und sorgt für soziale Sicherheit (Krankengeld, Mutterschutz, Arbeitslosengeld usw.).

Organisation

In Österreich gibt es *Staatsbetriebe* wie Bahn und Post. Der Staat hat ein *Monopol* auf Salz, Tabak, Glücksspiele und Branntweinerzeugung. Die übrige Wirtschaft ist *privatrechtlich* organisiert. Allerdings sind Großbanken und ein großer Teil der Grundstoffindustrie (Eisen-, Stahl- und Metallindustrie, Erdöl- und Elektrizitätswirtschaft, Donauschiffahrt) *verstaatlicht*. Österreich hat mehr verstaatlichte Unternehmungen als andere westliche Länder. Die Betriebe der verstaatlichten Industrie werden aber wie Privatfirmen geführt. Der Staat schaltet sich – zumindest theoretisch – nicht direkt ein. Heute werden etliche verstaatlichte Betriebe privatisiert.

Erklärungen

stützen	subventionieren
das Glücksspiel, -e	z.B. Lotterie oder Roulette
der Branntwein	Schnaps
sich einschalten	intervenieren

Wußten Sie, daß ...

... Wasserkraftwerke österreichischer Herkunft in Griechenland, Ghana, Korea, Nicaragua, Chile, Bolivien und in den USA stehen?

... österreichische Firmen Stahlwerke in Indien, in der UdSSR, in der Volksrepublik China und in Brasilien bauten?

Kristallfiguren von Swarovski sind auf der ganzen Welt beliebt.

… Österreich Bühnenanlagen, ja stellenweise ganze Opernhäuser, wie in Sydney, Istanbul, Bukarest und Warschau baute?

… auf den Flüssen der Sowjetunion mehr als hundert Schiffe verkehren, die in der Werft Korneuburg bei Wien gebaut wurden?

… in der norwegischen Stadt Bergen österreichische Autobusse fahren?

… jedes zweite Paar Alpin-Schi aus Österreich kommt?

… die größte mechanische Orgel der Welt im Kulturzentrum von Hongkong von Österreichern gebaut wurde?

… die Kristalluster in der Metropolitan Opera in New York und die Beleuchtungskörper im Sitzungssaal des Obersten Sowjets im Kreml aus Österreich kommen?

… Österreich ein hochdifferenziertes Industrieland ist?

Erklärungen

der Luster-, (österr.)	Kronleuchter; von der Decke herabhängende, mehrarmige Lampe
der Beleuchtungskörper,-	Lampe

Offener Brief an einen Österreich-Urlauber

Wien, im Sommer 1990

Herzlich willkommen in Österreich! Wissen Sie, lieber Gast,"wieviel Österreich" Sie in Ihrem Auto vielleicht nach Österreich mitbringen, wenn Sie hier an sauberen Badeseen, in "wanderbarer" Bergwelt oder auf gepflegten Skipisten urlauben? Sicher nicht.

Und dabei ist es gar nicht wenig, was Österreichs Industrie den großen Automobilproduzenten in aller Welt liefert: Edelstähle, Stahlbleche für Karosserien, Reifen, Autoelektrik, Radios, Lacke, Kupplungen, Batterien u.a.m. Keine der renommierten Automarken fehlt in diesem illustren Kundenkreis. Das Touristenland Österreich ist auch ein überaus gut entwickeltes Industrieland, erfolgreicher Exporteur, gesuchter Kooperationspartner großer ausländischer Industrien. Und wenn die Millionen von Touristen in all den Jahren Österreichs Industrie nicht bemerkt haben, ist das nur von Vorteil. Tatsächlich haben unsere Industrien das Landschaftsbild nicht zerstört, Umwelt und Erholungsgebiete nicht verschmutzt, ja nicht einmal den Ruf Österreichs als Fremdenverkehrsland beeinträchtigt. Dabei tragen Industrie und Gewerbe zum Bruttoinlandsprodukt viel mehr als der Fremdenverkehr bei. Ein Vergleich: 1989 brachte Österreichs Exportwirtschaft 515 Milliarden Schilling an Devisen ins Land, der Fremdenverkehr 141 Milliarden.

Der Erholungsgarten im Herzen Europas verbirgt sein umweltfreundliches Industriegesicht jedoch nur im Inland. Auf Auslandsmärkten machen Österreichs Ingenieurgeist, Kreativität und Qualität dafür umso mehr von sich reden.

- Sogar im Weltraum ist das kleine Österreich vertreten. Eine österreichische Firma erzeugt das Fenster für das Weltraumlabor "Spacelab".
- Die Ford-Werke lackieren ihre Autos nach einem österreichischen System.
- Die Olympia-Brücke in Seoul wurde mit österreichischem Know-how gebaut.

○ Österreicher konstruierten die Offshore-Ölbohrplattformen in Stavanger (Norwegen).

Modernste Umweltschutztechnologien gehen nicht von ungefähr aus dem sauberen Urlaubsland Österreich in die Industriezentren der ganzen Welt. Komplette Kraftwerke und Seilbahnanlagen aller Art baut Österreich nicht nur im Lande, sondern überall in der Welt, wo man diese reiche Erfahrung zu schätzen weiß.

Die Liste österreichischer Exportleistungen mit modernster Technologie liest sich wie ein Fremdwörterbuch: Pulvermetallurgie, Power-Alkoholanlagen, Neutronen-Interferometer ...
Nicht weniger erstaunlich: Schiffe - auch hochseetüchtige -, Spezialschwimmkräne aus dem Binnenland Österreich in die Sowjetunion, nach dem Nahen Osten und nach Afrika, aber auch in die Bundesrepublik Deutschland und in die Schweiz.

Wenn Sie nun, lieber Gast, nach Österreich kommen, denken Sie daran, daß Sie hier nicht nur Kultur erleben und gut essen und trinken können, sondern daß Österreich auch ein Land großer technischer Leistungen ist.

Herzlichst
Ihre österreichische Wirtschaft

Erklärungen

„wanderbar“	Wort aus der Fremdenverkehrswerbung: „wanderbares Österreich“ (wandern + wunderbar)
der Edelstahl, -‹e	rostfreier Stahl
die Karosserie, -n	Oberteil eines Autos
die Kupplung, -en	sie stellt die Verbindung zwischen Motor und Getriebe her
beeinträchtigen	kleiner machen, schmälern, schaden
von sich reden machen	bekannt werden
nicht von ungefähr	nicht zufällig
schätzen	für wertvoll und wichtig halten
hochseetüchtig	geeignet für die Hochsee (das Meer)

Land- und Forstwirtschaft

Die wichtigsten Agrarprodukte sind Weizen, Roggen, Gerste, Mais, Kartoffeln und Zuckerrüben. Obst- und Weinbau sind ebenfalls von Bedeutung. Wichtiger als der Ackerbau ist die Viehzucht (Schlachtvieh, Milchwirtschaft). Aus Österreich kommen einige der besten Zuchtrinderrassen.

Österreich produziert praktisch seinen gesamten Nahrungsmittelbedarf im Land. Eingeführt werden vor allem Produkte des gehobenen Lebensstandards, wie Südfrüchte, Reis, Frühgemüse und -obst. Es gibt eine Überproduktion an Butter und Käse. Die Forstwirtschaft ist die Grundlage für die Holz- und Papierindustrie. Holz und Holzprodukte sind wichtige Exportartikel.

Immer weniger Bauern …

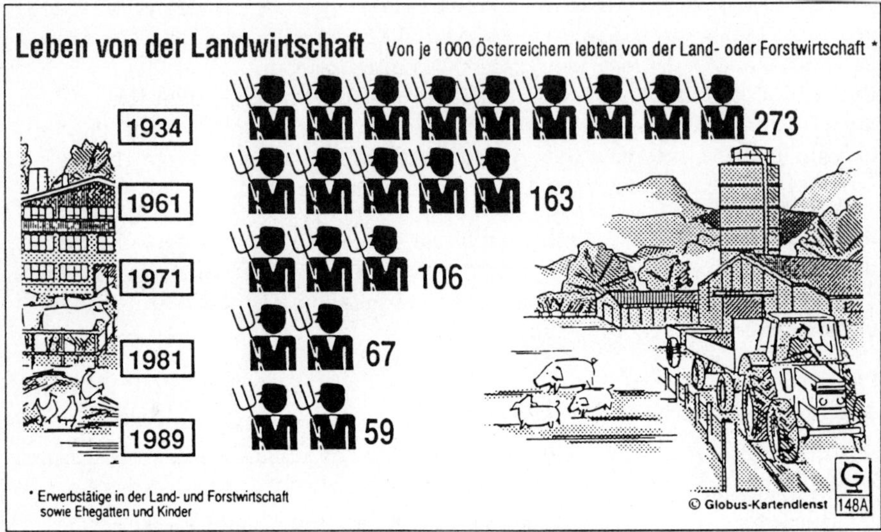

Es ist kaum zwei Generationen her, da lebte noch mehr als ein Viertel der Österreicher von der Landwirtschaft (273 von 1000 im Jahre 1934). Nach dem Zweiten Weltkrieg änderte sich das gründlich. Dank des Einsatzes von Maschinen und Dünger konnten immer weniger Bauern immer mehr produzieren. Die überschüssigen Arbeitskräfte wanderten in Industrie und Dienstleistungen ab. Heute verdienen nur noch 59 von 1000 – jeder siebzehnte – ihren Lebensunterhalt in der Landwirtschaft.

Wie ist das in Ihrem Land?

Probleme der Landwirtschaft

Die Landwirtschaft in Österreich ist heute weitgehend mechanisiert und rationalisiert. Das führte zu einer Überproduktion, besonders von Brotgetreide und Milch. Um den Bauern ein geregeltes Einkommen zu garantieren, subventioniert der Staat diese Produkte, vergrößert dadurch aber das Risiko der Überproduktion. Gebirgsbauern können nur in geringem Umfang Maschinen verwenden. So sind die Familien, vor allem die

Bäuerinnen, überlastet, und es kommt zu einer Landflucht. Besonders im Südosten des Landes können viele Kleinbauern vom Ertrag ihres Hofes nicht leben und müssen zusätzlich arbeiten. Sie werden zu „Nebenerwerbsbauern". Da es aber auf dem Land oft zu wenig Industrie gibt, „pendeln" sie in die größeren Städte. Bergbauern in den westlichen Bundesländern haben dagegen oft Nebeneinkünfte aus dem Fremdenverkehr.

Erklärungen

das Schlachtvieh	Tiere, deren Fleisch als Nahrung dient
die Zuchtrinderrasse, -n	zur Zucht verwendete Rinder
die Einkünfte (Pl.)	Einkommen
überlastet sein	zu viel Arbeit haben

Bodenschätze und Energiewirtschaft

Erdöl und Erdgas sind in Österreich heute die bedeutendsten Bodenschätze (Hauptproduktion im nordöstlichen Niederösterreich).

Braunkohle, Eisenerz und Salz gehören zu den anderen wichtigen Bergbauprodukten. Österreich ist der zweitgrößte Magnesitproduzent der Erde. (Magnesit wird zur Auskleidung von Hochöfen verwendet.)

Obwohl Österreich feste Brennstoffe, Erdöl und vor allem Wasserkraft (über 1000 Kraftwerke) besitzt, muß es Energie importieren und dafür viel Geld ausgeben. Waren es 1985 noch 64 Millionen Schilling, ging dieser Betrag in den Jahren danach infolge des Preisverfalles bei Rohöl und des instabilen Dollarkurses stark zurück und schwankt ständig.

Österreich muß ungefähr zwei Drittel seiner Energie importieren: Kohle (aus Polen, der Tschechoslowakei, der Bundesrepublik Deutschland und den USA), Erdöl aus wechselnden Lieferländern) und Erdgas (zwei Drittel aus der Sowjetunion). Dagegen erzeugt Österreich 70 Prozent seines elektrischen Stromes durch seine Wasserkraftwerke. Österreich exportiert sogar Strom in die Nachbarländer.

Aus Gründen des Umweltschutzes sind heute viele Österreicher gegen den Bau von neuen Kraftwerken.

Die Österreicher haben sich 1979 in einer Volksabstimmung gegen Atomkraftwerke ausgesprochen. Ein bereits fertiggestelltes Kernkraftwerk in Zwentendorf an der Donau (westlich von Wien) wurde daraufhin nicht in Betrieb genommen.

Erklärungen

der Hochofen, ¨	Ofen, in dem Roheisen erzeugt wird
das Kernkraftwerk, -e	Atomkraftwerk
in Betrieb nehmen	eröffnen

Wiener Petit-Point-Stickerei

Industrie und Gewerbe

In Österreich gibt es hauptsächlich Klein- und Mittelbetriebe. Fast ein Drittel aller Arbeitsstätten sind Einmann- oder kleinste Familienbetriebe, und nur etwa 3 Prozent der österreichischen Betriebe haben mehr als 50 Beschäftigte.

Die österreichische Industrie umfaßt alle Branchen. Die Erfolge einiger österreichischer Firmen auf dem Weltmarkt zeigen, daß hochspezialisierte Maschinen und High-Tech-Produkte die besten Aussichten haben. Bekannt sind Produkte der österreichischen Glasindustrie, der Mode und des Kunsthandwerkes. Sie werden zum Großteil exportiert.

Erklärungen

die Arbeitsstätte, -n	Betrieb
umfassen	enthalten
das Kunsthandwerk	Handwerk, das künstlerisch gestaltete Gebrauchsgegenstände herstellt (z.B. Holzschnitzarbeiten, Porzellanwaren, Petit-Point-Stickereien)

Wiener Porzellanmanufaktur

Servus in Österreich

Fremdenverkehr

Österreich ist ein Weltmeister bei den Pro-Kopf-Einnahmen aus dem Tourismus. Ausländische Besucher bringen ein Drittel der Devisen ins Land (1988).

Ausländer besuchen hauptsächlich die westlichen Bundesländer und Wien. Ostösterreich ist dagegen ein Feriengebiet für Inländer. 1989 besuchten ungefähr 18 Millionen ausländische Gäste Österreich, und es gab 95 Millionen Übernachtungen. Das war ein absoluter Rekord.

Fast die Hälfte aller ausländischen Urlauber kommt aus der Bundesrepublik Deutschland. Es folgen die Niederlande, Großbritannien, Frankreich, Belgien/Luxemburg, die Schweiz, Italien, die USA, Schweden und Dänemark.

Die beliebtesten Reiseziele in Österreich sind das Bundesland Tirol und Wien.

Der Tourismus bringt – das muß hier auch erwähnt werden – manche Nachteile. Besonders in den Wintersportzentren ist die Landschaft durch den Ausbau von Skipisten und Liftanlagen oft stark belastet, so daß heute manche Orte gegen einen weiteren Ausbau des Fremdenverkehrs sind.

Sie wollen Ferien in Österreich machen. Schreiben Sie einen Brief an die „Urlaubsinformation Österreich" bei der Sie sich nach Urlaubsmöglichkeiten erkundigen und um Informationsmaterial bitten. Vergessen Sie nicht Hinweise auf die gewünschte Reiseart, z.B. Badeurlaub, Wandern, Bergsteigen, Sommersporturlaub, Wintersporturlaub, Besichtigungsurlaub, Erholungsurlaub.

Die meist besuchten Sehenswürdigkeiten (1988)

Hohensalzburg

Schönbrunn

Großglockner-Hochalpenstraße

Kunsthistorisches Museum

Hier ist die Adresse:

Urlaubsinformation Österreich
Margaretenstraße 1
A-1040 Wien
Österreich

Erklärung	
die Sehenswürdigkeit, -en	sehenswertes Kunstwerk oder Bauwerk

Österreichs wichtigste Handelspartner

Importe in %		1989	Exporte in %	
Schweden	1,8		2,2	Belgien
Großbritannien	2,5		2,2	Spanien
Belgien	2,5		2,7	UdSSR
Niederlande	2,8		3,0	Niederlande
USA	3,6		3,5	USA
Schweiz	4,1		4,5	Großbritannien
Frankreich	4,4		4,7	Frankreich
Japan	5,0		7,2	Schweiz
Italien	9,0		10,5	Italien
Bundesrepublik D	43,6		34,5	Bundesrepublik D

Aus welchen Ländern importiert Österreich mehr, als es exportiert?
Welchen Ländergruppen gehören die wichtigsten Handelspartner Österreichs an?
Mit welcher Ländergruppe hat Österreich den regsten Handelsverkehr?

Der österreichische Außenhandel nach Ländergruppen 1989 in Prozent

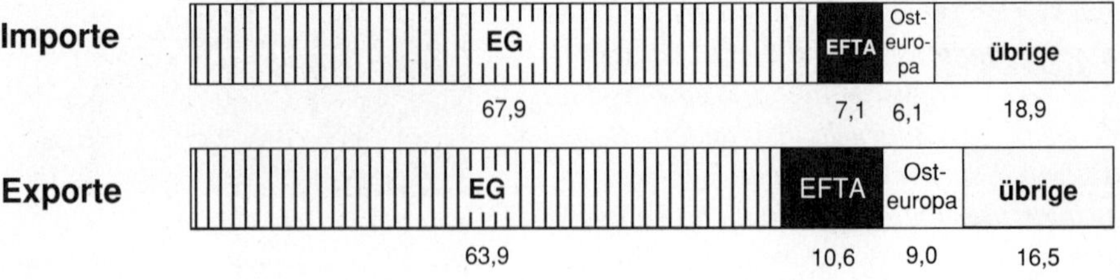

	EG	EFTA	Osteuropa	übrige
Importe	67,9	7,1	6,1	18,9
Exporte	63,9	10,6	9,0	16,5

Obwohl die Länder der Europäischen Gemeinschaft (EG) seine wichtigsten Handelspartner sind, gehört Österreich der EFTA (European Free Trade Association; Europäische Freihandelszone) an. Es ist aber seit 1972 durch ein Freihandelsabkommen mit der EG verbunden. 1989 hat Österreich bei der EG ein Beitrittsansuchen gestellt.

Österreichs wichtigste Ausfuhrwaren sind Maschinen, Eisen und Stahl, elektrotechnische Maschinen und Apparate, Textilien, Holz, Metallwaren, Papier und Papierwaren, Verkehrsmittel und Bekleidung.

Die wichtigsten Einfuhrwaren sind Maschinen, Erdöl und Erdölerzeugnisse, Verkehrsmittel, elektronische Maschinen und Apparate, Textilien, Bekleidung, Metallwaren sowie Eisen und Stahl.

Wohlstand und Lebensstandard

Gemessen am Bruttosozialprodukt gehört Österreich zu den reichsten Nationen der Welt. In den achtziger Jahren betrug das Wirtschaftswachstum rund 24 Prozent. Mit anderen Worten: Österreich hat in dieser Zeit fast ein Viertel mehr an Waren produziert und an Dienstleistungen erbracht als zehn Jahre vorher. Inflations- und Arbeitslosenraten waren im internationalen Vergleich relativ niedrig.

Nicht umsonst weisen österreichische Politiker immer wieder gerne darauf hin, daß ihr Land bei wichtigen wirtschaftlichen Daten besser liegt als der EG-Durchschnitt. Was den Lebensstandard betrifft, haben die Österreicher ohnehin gewaltig aufgeholt, ja sie fühlen sich „EG-reif".

Demoskopen haben zwar festgestellt, daß bundesdeutsche Haushalte besser mit hochwertigen Geräten ausgestattet sind, aber der Abstand wird immer kleiner. So haben in der Bundesrepublik 92 Prozent aller Haushalte ein Telefon, in Österreich sind es um 12 Prozent weniger. 80 Prozent aller westdeutschen Haushalte haben eine vollautomatische Waschmaschine, in Österreich sind es immerhin 77 Prozent. Und 73 Prozent aller österreichischen Haushalte besitzen ein Auto (in der Bundesrepublik 79 Prozent). Die Liebe zum Auto kostet die Österreicher übrigens viel Geld. Vom Kaufpreis über Steuer und Versicherung bis zum Benzin sind die Pkw-Kosten in Österreich um ein Drittel höher als in der Bundesrepublik. Österreich hat keine eigene Autoproduktion, und Neuwagen sind mit einer „Luxussteuer" von 32 Prozent belegt.

Einen Farbfernseher und Gefriertruhen haben ungefähr zwei Drittel der österreichischen Haushalte. Daß es dagegen weniger Geschirrspülmaschinen gibt, führen Demoskopen darauf zurück, daß es in Österreich noch mehr intakte Großfamilien gibt. Wenn die Großmutter das Geschirr abwäscht, wozu braucht man da einen Geschirrspüler? Videorecorder besitzen ein Drittel der österreichischen Haushalte. Mikrowellenherde sind aber erst in zehn von hundert Küchen in Betrieb. In sieben Prozent der Haushalte findet man einen Computer.

Interessant ist, daß mehr Österreicher als Deutsche Hausbesitzer sind (56 Prozent). Die eifrigsten „Häuslbauer" sind übrigens die Burgenländer. In diesem Bundesland kommt auf nur drei Personen ein Einfamilienhaus! Gebaut wird dort in Selbsthilfe, auf Handwerker verzichtet man. Ansonsten haben über 74 Prozent der Familien mit Kindern eine gut ausgestattete Wohnung mit Zentralheizung. 60 Prozent aller Wohungen in Österreich wurden nach 1945 errichtet. Viele Österreicher besitzen Zweitwohnungen und Ferienhäuser auf dem Land. Autokolonnen am Wochenende, Umweltbelastung und eine oft häßliche Zersiedelung der Landschaft sind die Kehrseite des Wohlstandes.

Die Österreicher könnten also mit ihrer wirtschaftlichen Lage sehr zufrieden sein. Schwierigkeiten sind jedoch nicht zu übersehen. Viele beklagen sich über die hohen Steuern (und vergessen, daß sie dafür ziemlich viele Sozialleistungen bekommen). Manchen macht die Verschuldung des Staates Sorgen, und andere weisen darauf hin, daß die Einkommen in Österreich nicht gerecht verteilt sind. (1989 gab es 400 000 Arbeitnehmer, die weniger als 10 000 S im Monat verdienten.) Tatsächlich gehören Arbeiter, Landwirte und Pensionisten zu den einkommensschwachen Gruppen. Sie haben deutlich schlechtere Wohnverhältnisse als der Durchschnitt. Noch immer leben viele Arbeiter (besonders in Wien) in überalterten Wohnungen. Diese Haushalte haben auch weniger Konsumgüter, können sich oft keinen Urlaub leisten und auch nur wenig sparen.

Erklärungen

das Bruttosozialprodukt	Fachausdruck für die wirtschaftliche Gesamtleistung eines Landes. In ihm werden alle produzierten Waren und erbrachten Dienstleistungen zusammengefaßt.
der Pkw, -s	Personenkraftwagen, Auto
die Zersiedelung	planlose Besiedelung, bei der das Landschaftsbild zerstört wird.

Aufgaben

Vergleichen Sie mit Ihrem Land.

a) das System der österreichischen Wirtschaft
b) die österreichische Landwirtschaft
c) die österreichische Industrie
d) den Lebensstandard

6 Wer sind die Österreicher?

Heute ist es für die Österreicher eine Selbstverständlichkeit, daß sie sich als Österreicher fühlen wie die Schweizer als Schweizer oder die Franzosen als Franzosen. Das war nicht immer so. In ihrer Geschichte wußten die Österreicher oft nicht, wer sie eigentlich waren. In der Monarchie waren alle, die nicht zu Ungarn gehörten, offiziell „Österreicher". Dazu gehörten aber auch – zumindest theoretisch – Tschechen, Slowaken oder Italiener. Die Politiker sprachen von den „Deutschen in Österreich" und meinten damit die deutschsprachigen Österreicher. Wer also deutsch sprach, galt in der Monarchie als Deutscher. So ist es nicht verwunderlich, daß sich das deutschsprachige Reststück der Monarchie 1918 „Deutsch-Österreich" nennen wollte. Aber das dauerte nicht lange. Der Friedensvertrag verbot es, und die Österreicher, die eigentlich Deutsche waren, wurden gezwungen, Österreicher zu bleiben, und durften sich nicht an die neue deutsche Republik anschließen. Aber niemand konnte die Österreicher daran hindern, sich als Deutsche zu fühlen. In der Ersten Republik mußten Kinder noch den Satz „Wir Österreicher sind Deutsche" auswendig lernen. 1938 wurden sie es auch wirklich, und nach sieben Jahren erkannten sie, daß sie doch lieber Österreicher sein wollten, und zwar endgültig.

Seit 1945 ist diese Frage nicht mehr aktuell. Die Österreicher sind Österreicher, aber auf ganz selbstverständliche, unsentimentale Weise. Wenn es allerdings um Sport oder um Kochkunst geht, sind die Österreicher in ihrem Patriotismus kaum zu bremsen.

Immerhin sind, wie Umfragen ergaben, 95% der Bevölkerung stolz darauf, Österreicher zu sein. 81% möchten auch nirgendwo anders leben. Die Deutschen sind zu guten Nachbarn und gerne gesehenen Feriengästen geworden. Nie war das Verhältnis der beiden Völker besser als jetzt. Daran ändert auch die Tatsache nichts, daß die Österreicher die heutigen Deutschen etwas beneiden und sich auch manchmal über sie ärgern. In Deutschland ist, so meinen manche, alles größer, auch großzügiger. Andererseits wird der „große Bruder" manchmal als rücksichtslos empfunden. Trotzdem, von allen Nationen sind den Österreichern die Deutschen mit weitem Abstand die sympathischsten.

Die Österreicher und die Deutschen

„Jetzt sind wir also Deutsche".

Eine Österreicherin 1918, als die Regierung bekanntgab, Deutsch-Österreich werde sich an die deutsche Republik anschließen.

Deutsch-Österreich, du herrliches Land, wir lieben dich!

Aus der Staatshymne der Ersten Republik
(Text: Staatskanzler Dr. Karl Renner)

Deutsche Liebe, zart und weich,
Vaterland, wie bist du herrlich,
Gott mit dir, Deutschösterreich.

Aus der Bundeshymne 1934-1938
(Text: Ottokar Kernstock)

„Ja, aber auf ganz unsentimentale Weise."

Der Dichter Ernst Jandl auf die Frage, ob er sich als Österreicher fühle

„Die Deutschen nehmen alles in Anspruch, sie sind präpotent. Sie lassen uns fühlen, daß wir doch eigentlich arme Schlucker sind."

Ein Österreicher 1963

„Im Verhältnis von Österreichern und Deutschen stellen sich heute keine Identitätsfragen mehr. Wir begegnen uns ganz unbefangen. Wir sind uns der Gemeinsamkeit und des je Eigenen, der Unterscheidung und der Übereinstimmung bewußt. Österreich ist uns Deutschen wie kein anderes Land verbunden und vertraut. Wir betrachten die deutsch-österreichische Freundschaft als einen Schatz, den es zu bewahren und zu mehren gilt."

(Der deutsche Bundespräsident Richard von Weizsäcker bei seinem Staatsbesuch in Österreich 1986)

„Die Beziehungen sind gut, aber oberflächlich, Klischeevorstellungen trüben da wie dort das realistische Bild."

(Der österreichische Journalist Engelbert Washietl in seinem Buch „Österreich und die Deutschen", 1987)

Erklärungen

präpotent (österr.)	überheblich, arrogant
ein armer Schlucker	ein armer, bedauernswerter Mensch

Aufgaben

1. *Die Frage der nationalen Identität war in Österreich bis in die Gegenwart kompliziert. Nehmen Sie Stellung zu dieser Behauptung. Vergleichen Sie die Situation mit der in Ihrem Land.*
2. *Wie sieht man in Ihrem Land das Verhältnis zwischen den Österreichern und den Deutschen?*

7 Die Österreicher heute

Nationalcharakter

Nach den gängigen Klischees sind die Österreicher immer lustig und fidel, dazu auch höflich, liebenswürdig und gastfreundlich. Tagsüber sitzen sie am liebsten im Kaffeehaus, und am Abend gehen sie zum Heurigen. Wenn sie Landbewohner sind, gehören sie einer Jodlerband oder einer Schuhplattlergruppe an. Die Arbeit nehmen die Österreicher nicht so ernst. Gutes Essen und guter Wein sind ihnen viel wichtiger.

Kann man aber überhaupt von „den Österreichern" sprechen? Was haben sie alle gemeinsam? Es ist sehr schwierig, alle Österreicher unter einen Hut zu bringen. Es gibt große Unterschiede im Temperament und in der Lebensführung. Ein Vorarlberger fühlt sich den alemannischen Schweizern näher verwandt als den Burgenländern. Der obersteirische Bergbauer hat mit einem raunzigen Wiener wahrscheinlich nur wenig gemeinsam. So verschieden wie die Landschaften Österreichs sind auch seine Menschen. Und mit den Klischees ist es so eine Sache. Die meisten enthalten nur die halbe Wahrheit. Sicher wollen die Österreicher das Leben genießen. Aber letzten Endes wird auch in Österreich fleißig gearbeitet. Woher kommen schließlich all die Kraftwerke, Fabriken und modernen Bauten?

Daß die Österreicher immer lustig und vergnügt sind (ein „Volk der Tänzer und der Geiger" nach einem Dichterwort), stimmt auch nicht ganz. In ihnen steckt auch eine gehörige Portion Aggressivität, Sentimentalität, Melancholie und Depression. Wie könnte man sonst erklären, daß Österreich zu den Ländern mit den meisten Autounfällen und mit der höchsten Selbstmordrate gehört?

Im Grunde sind die Österreicher freilich Optimisten, lassen sich nicht so leicht erschüttern und geben nicht so schnell auf. „Nur keine Aufregung!" ist ein beliebtes Motto. Man will seine Ruhe haben und liebt es nicht, gejagt und reglementiert zu werden. Wenn wirklich einmal etwas schiefgeht, bleibt man gelassen und sagt: „Na, es hätt' ja schlimmer kommen können" oder „Da kann man halt nichts machen".

Die Österreicher haben auch den Ruf, Meister im Improvisieren zu sein. Letzten Endes klappt aber bei ihnen alles doch ganz gut.

Wie steht es mit der Höflichkeit und Liebenswürdigkeit der Österreicher? Nun, zu ihren Minderheiten, den Slowenen in Kärnten, und auch zu den Gastarbeitern und Flüchtlingen aus Südost-Europa sind nicht alle Österreicher unbedingt liebenswürdig. Und die Höflichkeit ist auch nicht immer ganz echt. In Fremdenverkehrsorten tarnt sie manchmal nur den Nepp. Die österreichische Gemütlichkeit gibt es sicher, aber hinter dem populären Motto „Nur net hudeln" können sich auch Gleichgültigkeit, Teilnahmslosigkeit und Resignation verbergen. So ist die Mentalität der Österreicher voller Widersprüche und oft nur schwer zu verstehen. Gute und schlechte Eigenschaften liegen bei ihnen oft ganz eng nebeneinander, aber wie bei anderen Völkern halten sie sich wohl auch bei den Österreichern die Waage.

Erklärungen

gängig	bekannt, gebräuchlich
fidel	vergnügt, fröhlich, lustig
der Heurige, -n (österr.)	ein Weinlokal (auch: Wein der letzten Lese)
der Schuhplattler,-	ein Volkstanz
unter einen Hut bringen	harmonisch zusammenbringen, verbinden
raunzen (österr.)	weinerlich jammern, dauernd unzufrieden klagen
gehörig	sehr groß
erschüttern	aufregen
schiefgehen	mißlingen
gelassen	ruhig
der Nepp	Übervorteilung
„Nur net hudeln." (österr.)	umgangssprachlich: Nur keine Eile!
beides hält sich die Waage	beides ist gleich oft vorhanden

Aufgaben, Fragen

1. *Welche „positiven" und welche „negativen" Qualitäten haben die Österreicher nach dem Text? Machen Sie eine Liste, und vergleichen Sie Ihre Ergebnisse mit einem Partner (einer Partnerin). Berichten Sie über die Ergebnisse.*
2. *Wie sieht man in Ihrem Land die Österreicher? Welche Klischeevorstellungen von den Österreichern kennt man? Und welche Klischees gibt es über Ihre Landsleute?*

Die Frau in Österreich

Die Situation der Frau in Österreich ist im Grunde nicht viel anders als in den meisten westeuropäischen Ländern. In der Werbung kommt auch die Österreicherin hauptsächlich als kochende und putzende, stets glückliche Hausfrau und Mutter oder als Sexobjekt vor.

Tatsächlich, das haben Soziologen festgestellt, ist in Österreich alles, was mit dem Haushalt zusammenhängt, Sache der Frauen. Ja man weiß sogar, daß viele Österreicherinnen zu Hause die Schuhe für die ganze Familie putzen müssen. Sind die Österreicherinnen wirklich so glücklich dabei? Immerhin sind 57% aller Frauen zwischen 15 und 60 berufstätig. Die 1,2 Millionen berufstätiger Frauen sind 40% aller Beschäftigten in Österreich. Diese Frauen haben einen um vier bis sechs Stunden längeren Arbeitstag als die Männer. Und österreichische Männer sind theoretisch durchaus dafür, daß der Ehemann einer berufstätigen Frau die Hälfte der Hausarbeit abnimmt. Die Praxis sieht aber anders aus. Nur 29% der Ehemänner helfen tatsächlich im Haushalt. immerhin kümmern sich aber mehr als die Hälfte der Männer um ihre Kinder. (1977 waren es nur 30 Prozent.) So leiden die Frauen unter der Doppelbelastung von Beruf und Haushalt.

Die Mehrheit der Österreicher sieht in der Berufstätigkeit von Müttern eher ein notwendiges Übel als ein anzustrebendes Ziel. Warum gehen dann so viele Frauen arbeiten? Die Antwort ist einfach: das Einkommen des Mannes reicht meistens für den Lebensstandard der Familie nicht.

Heute stehen den Österreicherinnen alle Schulen und Berufe offen. Allerdings haben Frauen keine wirkliche Chancengleichheit. Sie werden bis zu 35% schlechter bezahlt als Männer. Frauen findet man vor allem in unqualifizierten Berufen. Nur wenige erreichen leitende Positionen in Wirtschaft und Verwaltung. Auch im Parlament und in der Regierung sind nur wenige Frauen vertreten. Eine Berufsgruppe, in der sich Frauen allerdings erstaunlich weit durchsetzen konnten, sind die Unternehmer. So sind heute rund ein Drittel aller Unternehmer Frauen, vor allem in den Branchen Fremdenverkehr und Einzelhandel.

Der Staat hat durch viele Gesetze dafür gesorgt, daß Frauen den Männern gleichgestellt sind. So muß eine Ehefrau nicht mehr automatisch den Namen ihres Mannes tragen. Es gilt das Prinzip der „partnerschaftlichen Ehe“, in der die Frau dem Mann nicht mehr wie früher untergeordnet ist. Auch sind Hausarbeit und Kindererziehung einer Berufsarbeit rechtlich gleichgestellt.

Besonders zugunsten berufstätiger Mütter existieren in Österreich viele Bestimmungen. So brauchen Mütter acht Wochen vor und nach der Geburt nicht zu arbeiten. Trotzdem bekommen sie ihren vollen Lohn. Bis zum Ende des zweiten Lebensjahres ihres Babys haben sie Anspruch auf „Karenzurlaub“. (Der steht jetzt auch Vätern zu.)

Der Staat bezahlt das Karenzgeld, der Arbeitsplatz bleibt gesichert. Trotz mancher vorbildlicher Gesetze sind Frauen in Österreich noch in vielem benachteiligt. Alte und neue Rollenbilder bestehen heute nebeneinander. Nur Hausfrau und Mutter zu sein, genügt auch vielen Österreicherinnen nicht mehr, auch wenn sie sich Familie und Kinder wünschen. Sinkende Eheschließungszahlen, niedrige Geburtenraten und hohe Scheidungszahlen sind die Folgen.

Erklärungen

untergeordnet	an zweiter Stelle
der Karenzurlaub, -e (österr.)	unbezahlter Urlaub

Die Jugend

Kann man überhaupt von „der Jugend“ sprechen? Schließlich ist die Situation der rund 1,2 Millionen Personen, die zwischen 15 und 24 Jahren alt sind, sehr unterschiedlich. Das Leben eines jungen Gastarbeiters verläuft sicher anders als das eines gleichaltrigen Österreichers, und ebenso gibt es Unterschiede zwischen der Jugend in der Stadt und auf dem Land, zwischen Studenten und Arbeitern.

Mit 16,5 Prozent ist der Anteil der Jugendlichen in Österreich im europäischen Vergleich relativ hoch. Die Zahl der Jugendlichen nimmt jedoch rasch ab. Bis zum Jahr 2000 soll ihr Anteil auf etwa 12 % der Gesamtbevölkerung absinken. Österreich wird immer älter! Innerhalb des Landes läßt sich ein West-Ost-Gefälle feststellen: viel Jugend im Westen, wenig im Osten.

Was kennzeichnet nun die österreichische Jugend der Gegenwart? Nun, sie ist jedenfalls in einem Klima materiellen Wohlstandes aufgewachsen. Das merkt man schon am Standard ihrer persönlichen Ausrüstung: ein Kassettenrecorder, ein Fahrrad und eine Schiausrüstung gehören zum Standardrépertoire. Die Konsumwünsche der jungen Leute sind groß, ihr Budget aber meistens klein. Das ergibt viel „Frust“. Man ärgert sich über die Abhängigkeit von den Eltern. Die meisten Jugendlichen wohnen ja zu Hause. Sie sind Lehrlinge oder besuchen eine Schule. Fast 200 000 junge Österreicher/innen studieren an den Universitäten und Hochschulen des Landes. Aber viele wissen nicht genau, was sie einmal beruflich tun werden. Man macht einmal die Matura, dann wird man schon sehen. (1955 war der Anteil der Burschen und Mädchen mit Matura an der gleichaltrigen Bevölkerungsgruppe nur 5,6 %, heute sind es rund 25 %.) Jedenfalls kostet die Schule die Schüler viel Energie. Verbringt ein Hauptschüler schon 37-44 Stunden wöchentlich mit Lernen, sind es in der Oberstufe des Gymnasiums bis zu 55! Und mindestens 20% der Oberstufenschüler bekommen Nachhilfe. Die Freizeit ist also knapp. Kino, Disco und Sport sind die beliebtesten Freizeitaktivitäten. Jeder vierte Schüler und jeder neunte Lehrling erlernt ein Musikinstrument. Und je weniger Freizeit man hat, desto mehr verwendet man sie für Fernseh- oder Videoberieselung daheim. Sexuelle Beziehungen werden eingegangen, heiraten wollen die meisten jedoch nicht vor 26. Und dann wollen sie einander treu sein und zwei Kinder haben ...

Politik interessiert nur ganz wenige, und kritisch ist auch die Einstellung gegenüber der Kirche. Zwar sind 92 % der Jugendlichen getauft, doch besuchen nur 20 % regelmäßig den Sonntagsgottesdienst.

Wie in anderen Ländern spielen auch in Österreich Konsum- und Freizeitinteressen eine zentrale Rolle im Leben der Jugendlichen, um die herum sie ihre anderen Lebensbereiche organisieren möchten.

Erklärungen

die Nachhilfe	Privatunterricht für (schlechte) Schüler
die Fernsehberieselung	ständiges Fernsehen, ohne wirklich aufzupassen

Die „Senioren“

Die Zahl der alten Leute ist in Österreich ständig gestiegen. Mehr als 20 % der Bevölkerung ist über 60; in Wien ist der Anteil alter Menschen noch höher. Heute gibt es in Österreich fast 1,9 Millionen Pensionisten. Das sind immerhin 24 % aller Österreicher/innen.

Altersstruktur der österreichischen Bevölkerung (in %)

	1900	1934	1951	1961	1971	1981
Kinder unter 15	30	24	23	22	24	20
15 – 65	64	68	67	65	62	65
65 und darüber	6	8	10	13	14	15

Materiell geht es den meisten „Senioren“, wie man sie jetzt in Österreich gerne nennt, im allgemeinen gut. Sie erhalten vierzehnmal im Jahr ihre Pension, die den Löhnen und Gehältern angepaßt werden. Reicht die Pension nicht zum Lebensunterhalt, dann gibt es vom Staat eine „Ausgleichszulage“. Dazu kommen verschiedene Vergünstigungen wie verbilligte Eisenbahnfahrten. Mindestpensionisten sind außerdem von der Radio-, Fernseh- und Telefongrundgebühr befreit und zahlen nichts für Medikamente.

Männer erreichen das Pensionsalter mit 65, Frauen mit 60 Jahren. Tatsächlich arbeiten aber nur 40 % der Österreicher bis 65. 1989 gingen Männer im Schnitt mit 58,2, Frauen mit 57,9 Jahren in Pension. Die Behauptung, die Österreicher hätten keinen sehnlicheren Wunsch, als möglichst rasch in den „wohlverdienten“ Ruhestand zu treten, scheint also zu stimmen. Das bringt freilich große Probleme, denn das derzeitige Pensionsversicherungssystem ist kaum mehr zu finanzieren. Die ältere Generation ist aber noch mit anderen Schwierigkeiten konfrontiert. Trotz finanzieller Sicherheit leben rund 300 000 Menschen, die die Mindestpension bekommen, vorwiegend Frauen, an oder unter der Armutsgrenze. Und der gesellschaftliche Status eines alten Menschen ist niedrig. Fit und konsumbereit zu sein, gilt etwas. Altsein dagegen bedeutet für viele Menschen Einsamkeit, Isolierung, Abschieben in ein Pflegeheim oder eine geriatrische Klinik, in der sie mehr oder weniger eingesperrt leben müssen. Mit harten Worten kommentiert dies der Wiener Altersforscher Leopold Rosenmayr: „Der soziale Tod erreicht die Alten lange vor dem physischen Tod.“

Erklärungen

die Ausgleichszulage, -n	wer infolge Krankheit etc. die Mindestpension nicht erreicht, dem bezahlt der Staat die Differenz
die Vergünstigung, -en	Verbilligung
sehnlich	mit Freude erwartend, sehnsüchtig

Aufgaben

1. *Vergleichen Sie die Situation der Frau in Österreich mit der in Ihrem Land. (Beachten Sie dabei folgende Punkte: Berufstätigkeit, Haushalt, Chancengleichheit, rechtliche Situation, Werbung.)*
2. *Vergleichen Sie die österreichische Jugend mit der Jugend Ihres Landes. (Altersaufbau, Schule, Freizeit, Interessen.)*
3. *Vergleichen Sie die Situation der alten Menschen in Österreich mit der in Ihrem Land.*

Religion und Kirche

Ungefähr 84 % der Österreicher sind römisch-katholisch. Nur wenige sind allerdings praktizierende Katholiken. Ihren Anteil schätzt man auf nicht mehr als 30 %. Das Verhältnis der Österreicher zur Religion ist stark von der Tradition bestimmt. Man gehört eben einer Kirche an. Genauso sind Taufe, eine kirchliche Hochzeit und ein kirchliches Begräbnis Selbstverständlichkeiten auch für jene, die der Religion ansonsten eher gleichgültig gegenüberstehen.

Bis zum Jahre 1938 gab es eine enge Bindung der katholischen Kirche an den Staat. Der Kaiser hatte seit der Gegenreformation die Rolle eines Schutzherrn der katholischen Kirche. Das „Bündnis von Thron und Altar" hielt bis 1918. In der Ersten Republik übernahm die Christlichsoziale Partei die Rolle des Monarchen. Die Kirche glaubte, nicht ohne den Schutz des Staates auskommen zu können. Die Unterstützung einer politischen Partei, die autoritär regierte, schadete ihr jedoch sehr und führte zu einer Kirchenfeindlichkeit vieler Sozialdemokraten.

Nach 1945 zog sich die Kirche aus der Parteipolitik zurück. Das hat zu einem guten Verhältnis zum Staat und zu den beiden großen politischen Parteien geführt, das bis heute anhält.

Nicht ganz 6 % der Österreicher sind protestantisch. Sie sind heute den Katholiken völlig gleichgestellt. An der Universität Wien haben sie sogar eine eigene theologische Fakultät.

Auch wenn die katholische Kirche sich heute nicht mehr in die Politik einmischt, bleibt ihr eine wichtige Rolle im öffentlichen Leben. In den Schulen gibt es obligaten Religionsunterricht, allerdings mit Abmeldemöglichkeit. Auch in der Ausbildung der Lehrer ist die katholische Kirche noch immer stark vertreten, und ihre karitative Arbeit ist beachtlich.

Ohne religiöse Bekenntnis sind ungefähr 6 % der Österreicher. 76 000 Menschen – hauptsächlich Gastarbeiter – bekennen sich in Österreich zum Islam, der damit die drittgrößte Religionsgemeinschaft im Lande darstellt.

Erklärungen

die Taufe, -n	Sakrament der Aufnahme in die christliche Kirche
das Begräbnis, -se	ein Toter bekommt ein Begräbnis; Beerdigung, Bestattung
das Bündnis, -se	enge Verbindung, Zusammenarbeit
beachtlich	groß, bedeutend

Fragen

1. *Berichten Sie über die Situation von Religion und Kirche in Ihrem Land.*
2. *Welche Unterschiede zu Österreich gibt es?*
3. *Hat sich die Funktion von Kirche und Religion Ihrer Meinung nach in letzter Zeit geändert? Wenn ja, in welche Richtung?*

Die Kirche zur Heiligsten Dreifaltigkeit in Wien-Mauer nach dem Entwurf von Fritz Wotruba.

8 Österreichische Lebensart

Von Titeln und vom Grüßen

Von den Österreichern sagt man, daß sie Titel lieben und daß bei ihnen das Grüßen eine Kunst sei, die ein Ausländer nie erlernen könne. Das stimmt aber nur zum Teil. Richtig ist, daß in Österreich Titel eine größere Rolle spielen als in vielen anderen Ländern. Daß man aber in Österreich jeden, der keinen Titel hat, gleich als „Herr Doktor" anspricht, wie man dies manchmal zu lesen bekommt, ist eine Übertreibung. Für die meisten Titel sorgt der Staat. Er hat für jeden Beamten, von denen es in Österreich recht viele gibt, einen „Amtstitel" bereit. In einem Ministerium kann man vielleicht „Ministerialrat" oder, wenn man Glück hat und die höchste Rangstufe erreicht, gar „Sektionschef" werden.

Bis vor kurzem gab es sechshundert solcher Amtstitel in Österreich. Da kannten sich aber selbst die meisten Österreicher nicht aus. Wer wußte zum Beispiel schon, was ein „Münzwardein" war? (Diesen Titel bekamen Beamte, die im Münzamt tätig waren). Unter den hundert Amtstiteln, die heute noch verwendet werden, ist der des „Hofrates" wohl einer der begehrtesten. „Hofrat" kann nur ein höherer Beamter werden. Im Ausland wundert man sich manchmal über diesen Titel, denn schließlich gibt es in Österreich längst keinen Hof mehr. Aber die republikanischen Österreicher wollen auf diesen zweihundert Jahre alten Titel nicht verzichten.

Auch wer nicht Beamter ist, kann vom Staat mit einem wohlklingenden Titel belohnt werden. Für viele Berufsgruppen gibt es nämlich noch eine Reihe von „Berufstiteln". Als Arzt kann man es zum „Medizinalrat" , ja sogar zum „Obermedizinalrat" bringen. Für den Kaufmann gibt es den „Kommerzialrat", für den Landwirt den „Ökonomierat". Und bei einer Karriere in Oper und Theater winken die Titel „Kammersänger" bzw. „Kammerschauspieler".

Was machen nun die Österreicher mit all ihren schönen Titeln? Sie verwenden sie natürlich, und zwar nicht nur im Amt, sondern auch im Privatleben. Ein Herr Maier, der zum Doktor promoviert, verliert gewissermaßen für immer seinen Familiennamen und wird ein „Herr Doktor". Bekommt er später noch einen Titel, spricht man ihn eben damit an. („Herr Direktor", „Frau Professor".)

Vom Ausländer erwartet ein Österreicher nicht, daß er sich im Labyrinth der Titel zurechtfindet. Aber niemand in Österreich sieht es ungern, wenn er mit seinem Titel angesprochen wird.

Das Grüßen in Österreich kann vielleicht dann etwas kompliziert werden, wenn man die vielen traditionellen, oft veralteten Grußformeln, die es gibt, verwenden will. Phrasen wie „Mein Kompliment“ oder „Meine Ergebenheit“, die man manchmal noch hört, vermeidet der Ausländer am besten. Er kommt mit wenigem aus: „Grüß Gott“ ist überall akzeptabel. „Guten Tag“ dagegen hört man in Österreich nicht so oft wie in Deutschland. Viele Österreicher finden diesen Gruß eher unpersönlich und kalt. Wenn man ihn bei Bekannten benützt, klingt er fast schon wie eine Beleidigung. Sehr beliebt ist in Österreich das „Servus“. Man kann es beim Kommen und Weggehen benutzen, aber – Achtung! – nur bei Personen, die man duzt. In den letzten Jahren ist in Österreich, vor allem in Wien, ein „liebevolles“ Grußwort in Mode gekommen: papa (mit der Betonung auf dem zweiten a). Früher sagte man „papa“ nur zu kleinen Kindern. Heute verwenden es auch Leute, die „Sie“ zueinander sagen.

Zum Entsetzen mancher Sprachpuristen hat sich der norddeutsche Modegruß „Tschüs“ auch in Österreich eingebürgert und ist besonders bei jungen Leuten populär. Manche halten ihn für eine „Sprachseuche“, besonders in seiner Diminutivform „Tschüßchen“. Gipfel des Schreckens, wie ein Journalist meint, oder Zug der Zeit?

Erklärungen

die Rangstufe, -n	berufliche Stellung
gewissermaßen	beinahe, sozusagen
sich zurechtfinden	sich auskennen
die Seuche	ansteckende Krankheit

Fragen

1. *Was denken Sie über die Vorliebe der Österreicher für Titel?*
2. *Gibt es Derartiges in Ihrem Land?*

Bräuche, Feste, Feiertage

In Österreich sind noch viele alte Bräuche lebendig. Österreich zählt auch zu den Ländern mit den meisten Feiertagen. Diese gehen fast alle auf katholische Feste zurück. Gesetzliche Feiertage, an denen nicht gearbeitet wird, sind der 1. Jänner (Neujahr), 6. Jänner (Heilige Drei Könige), Ostermontag, 1. Mai, Christi Himmelfahrt, Pfingstmontag, Fronleichnam, 15. August (Mariä Himmelfahrt), 26. Oktober (Nationalfeiertag), 1. November (Allerheiligen), 8. Dezember (Mariä Empfängnis), 25. Dezember (Weihnachtstag), 26. Dezember (Stephanitag).

Am Dreikönigstag ziehen in vielen Orten die Sternsinger von Haus zu Haus, singen Lieder und wünschen den Hausbewohnern ein gutes neues Jahr. Einer der „Könige“ schreibt über die Haustür die Buchstaben C+M+B, die das Haus segnen und beschützen sollen.

Sternsinger am Dreikönigstag

Der Dreikönigstag ist auch der Beginn des Faschings. Das ist die Zeit der Maskenumzüge, der Faschingskrapfen und der Bälle. Viele Vereine und Berufsgruppen (z.B. Ärzte, Juristen, Rauchfangkehrer, Zuckerbäcker, Fleischhauer) veranstalten ihre Bälle, zu denen man gerne prominente Politiker als Ehrengäste einlädt. Die Gymnasiasten haben ihre Maturabälle, und wer sich gern verkleidet, geht zum Gschnasfest. Für die High Society gibt es am letzten Donnerstag im Fasching den Opernball. Dafür wird die Wiener Staatsoper mit vielen Blumen geschmückt und in einen riesigen Ballsaal verwandelt.

Am Ende des Faschings steht der Aschermittwoch, der gerne mit einem Fischessen, dem Heringsschmaus, abgeschlossen wird. Damit beginnt die Fastenzeit.

Zu Ostern suchen die Kinder – so wie in Deutschland – Ostereier, die der Osterhase gebracht hat. Auf dem Land findet man noch alte Osterbräuche. Am Palmsonntag werden die Palmbuschen in der Kirche geweiht, und am Gründonnerstag wird gern etwas Grünes gegessen (z.B. Spinat). Am Karfreitag und Karsamstag gehen Buben mit Ratschen durch die Straßen. Nach dem Volksglauben sind nämlich die Glocken am Gründonnerstag nach Rom geflogen. Der Lärm der Ratschen soll das Läuten der Kirchenglocken ersetzen. In der Osternacht werden manchmal auf Berghöfen Osterfeuer abgebrannt.

Im Mai wird auf vielen Dorfplätzen noch heute ein Maibaum aufgestellt. Das ist eine hohe, schlanke Tanne oder Fichte, deren Rinde entfernt wird. Nur der Wipfel bleibt und wird mit bunten Bändern geschmückt. Manchmal hängt man auch eine Wurst oder eine Flasche Wein hin. Das ist der Lohn für die erfolgreichen Baumkraxler. Fronleichman wird am zweiten Donnerstag nach Pfingsten mit farbenprächtigen Prozessionen gefeiert. Die Wasserprozessionen auf dem Hallstätter- und dem Traunsee sind heute eine große Touristenattraktion.

Im Sommer gibt es in vielen Orten Kirtage (=Kirchtage) und andere Volksfeste, bei denen getanzt, gegessen und getrunken wird.

Zu Allerheiligen (1. November) und Allerseelen (2. November) gedenkt man der Toten. Viele Leute gehen auf den Friedhof und schmücken die Gräber ihrer Angehörigen.

Der 5. und 6. Dezember sind für die Kinder aufregende Tage. Es kommt der Nikolo (St. Nikolaus), ein freundlicher älterer Herr im Bischofsgewand und mit einem weißen Bart, und beschenkt sie. Manchmal begleitet ihn der pelzige, gehörnte Krampus, vor dem sich die Kinder fürchten sollen.

Am 24. Dezember schließen die Geschäfte und Restaurants bereits am Nachmittag. Kinos und Theater sind überhaupt geschlossen. Den Heiligen Abend verbringen die Österreicher am liebsten mit ihrer Familie zu Hause. Sie schmücken den Christbaum und essen vielleicht einen Weihnachtskarpfen. Abends ist die Bescherung. Da werden die Geschenke ausgepackt, und dann sitzt man noch gemütlich im Wohnzimmer. Viele Leute gehen anschließend noch in die Christmette.

Aufstellen eines Maibaumes

Fronleichnamsprozession auf dem Hallstätter See

Auch den Christtag, wie man den ersten Weihnachtstag manchmal nennt, verbringt man gerne im Familienkreis. An diesem Tag ißt man etwas besonders Gutes. Zum traditionellen Weihnachtsessen gehören Geflügel und viele Sorten Bäckereien. Am Stephanitag, dem 26. Dezember, lädt man gerne Verwandte ein oder macht selbst Besuche. Silvester, den letzten Tag des Jahres, feiert man laut und fröhlich, oft mit Freunden. Um Mitternacht trinkt man ein Glas Sekt und wünscht einander ein gutes neues Jahr. Oft werden kleine Glückssymbole ausgetauscht: Hufeisen, ein vierblättriges Kleeblatt oder ein Rauchfangkehrer. Zu den nicht-religiösen Feiertagen zählen der Staatsfeiertag am 1. Mai und der 26. Oktober. Der 1. Mai ist der Weltfeiertag der Arbeiter. Politische Parteien, besonders die Sozialisten, veranstalten Aufmärsche und Versammlungen. Der 26. Oktober ist der österreichische Nationalfeiertag. Er wurde zur Erinnerung an jenen Tag eingeführt, an dem 1955 alle Besatzungssoldaten das Land verlassen hatten und das Gesetz über die Neutralität Österreichs verabschiedet worden war.

Erklärungen

Brauch, ¨-e	alte Gewohnheit, Sitte
der Jänner (österr.)	der Januar
Pfingsten	christliches Fest, fünfzig Tage nach Ostern
die Sternsinger	als Heilige Drei Könige verkleidete Kinder

C+M+B	Symbol für die Namen der Heiligen Drei Könige: Caspar, Melchior, Balthasar auch: Christus mansionem benedicat (lat.) = Christus segne dieses Haus
der Fasching (südd.)	Karneval
der Faschingskrapfen, -(südd.)	eine beliebte Mehlspeise
der Umzug, ¨-e	Marsch eines Festzuges
der Rauchfangkehrer, - (österr.)	Schornsteinfeger
das Gschnasfest, -e (österr.)	Maskenball
der Palmbuschen, - (österr.)	ein Bündel von Palmzweigen
der Gründonnerstag, -e	Donnerstag vor Ostern
die Ratsche, -n	Klapper, Rassel; ein Gegenstand, den man dreht und der dabei ein hartes Geräusch macht
der Wipfel, -	Spitze eines Baumes
kraxeln (südd.)	klettern
der (die) Angehörige, -n	ein Verwandter (eine Verwandte)
das Gewand, ¨-er (österr.)	die Kleidung
das Hufeisen, -	gebogenes Stück Eisen für die Hufe von Pferden
der Aufmarsch, ¨-e	der Festzug

Fragen

1. *Um welche Feiertage handelt es sich?*
   6. Jänner 26. Oktober 26. Dezember
   1. Mai 1. November

2. *Um welche Feste bzw. Bräuche handelt es sich?*
   a) Viele Vereine veranstalten Bälle.
   b) An diesem Tag gehen auf dem Land Kinder manchmal noch mit Ratschen durch die Straßen.
   c) Es gibt Aufmärsche und Versammlungen politischer Parteien.
   d) Diesen Abend verbringen Österreicher am liebsten zu Hause.
   e) An diesem Tag gibt es feierliche Prozessionen.

3. *Welche der österreichischen Feste und Bräuche kennt man auch in Ihrem Land?*

Freizeit und Sport

Die Österreicher haben immer mehr Freizeit. Wie in den meisten westeuropäischen Ländern wird auch in Österreich nicht mehr als durchschnittlich vierzig Stunden in der Woche gearbeitet. Fernsehen und Zeitungslesen sind die alltäglichen Freizeitbeschäftigungen der Österreicher. Praktisch alle Haushalte besitzen einen Fernsehapparat, die meisten sogar ein Farbgerät. Davor verbringen drei von vier Österreichern täglich mindestens zwei Stunden. Zum Glück haben sie dabei das Lesen noch nicht verlernt. Immerhin wenden etwa zwei Drittel der Österreicher/innen jede Woche Zeit für das Lesen von Büchern auf. Unterhaltungsliteratur, Sachbücher und Kriminalromane werden als Lesestoffe bevorzugt.

Zur Freizeit der Österreicher gehört unbedingt auch die Musik. Die meisten konsumieren freilich hauptsächlich Unterhaltungsmusik aus dem Radio oder von Schallplatten. „Klassisches" ist weniger gefragt. Nur etwa 16 % besuchen Opernaufführungen, 8 % klassische Konzerte (15 % dagegen Pop- oder Jazzkonzerte), und für Festspiele interessiert sich überhaupt nur eine kleine Minderheit von 4 %.

Bei den Freizeittätigkeiten liegen Handarbeiten bzw. handwerkliche Betätigungen und Kartenspiele deutlich an der Spitze, gefolgt von Gesellschaftsspielen und Fotografieren. Auch Musizieren, Tanz und Gesang spielen bei manchen Bevölkerungskreisen eine große Rolle. Und mehr als 10 % betätigen sich kreativ durch Zeichnen, Malen, Bildhauerei oder Kunsthandwerk.

Ihre Freunde und Verwandten treffen die Österreicher am liebsten in einem Gasthaus, einem Restaurant oder in einem Tanzlokal. In die Wohnung wird nicht jeder eingeladen. Eine Einladung an einen Fremden ist fast eine Auszeichnung.

Sind die Österreicher sportlich? Nun, sie interessieren sich jedenfalls sehr für die Sportsendungen im Fernsehen, vor allem, wenn es Übertragungen von Schi- und Auto-

Freizeitverhalten

Bei einer Befragung nach dem Freizeitverhalten der Österreicher ergab sich folgendes – in Prozent

Fernsehen	Spaziergänge	Radiohören, Plattenspielen	Bücher lesen	Mit dem Auto wegfahren	In ein Lokal gehen	Fotografieren	Berufliche Weiterbildung
64,8	58,4	55,7	44,3	38,5	31,8	32,1	20,9

ÖGB-ND 2027

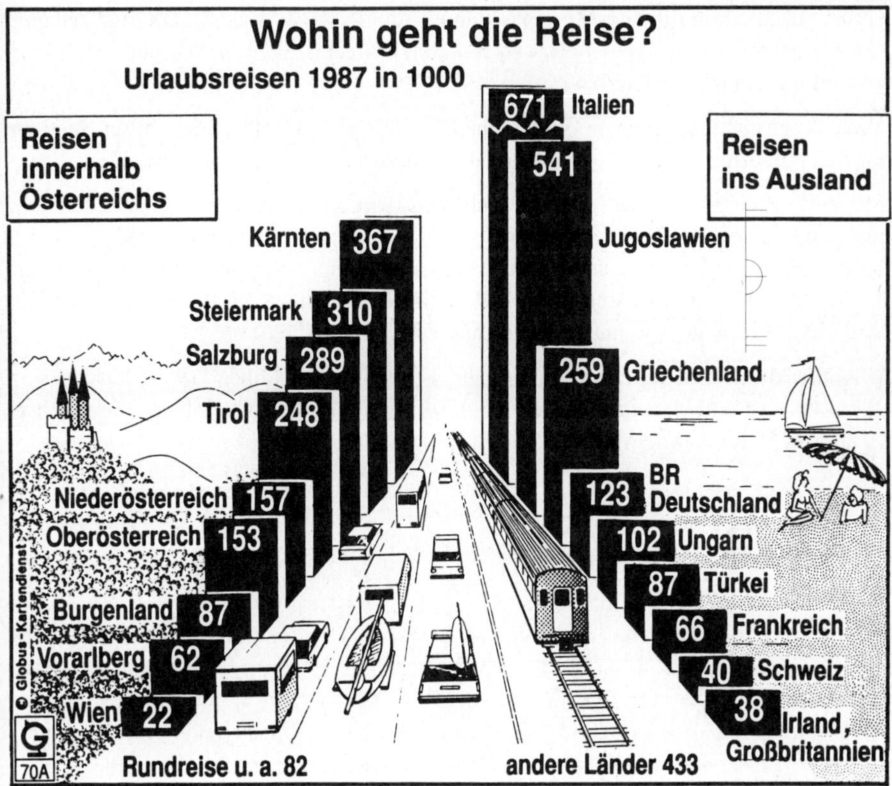

rennen, Fußballspielen und Eiskunstlaufveranstaltungen gibt. Schifahren ist eindeutig der Lieblingssport der Österreicher. 68 % bevorzugen nach einer Umfrage Alpinschilauf. Ebenfalls auf der „Hit-Liste" stehen Schwimmen (Baden) (45 %), Wandern und Bergsteigen (36 %), Gymnastik und Turnen (34 %), Tennis (32 %) und Jogging (30 %).

Der Schisport ist in Österreich zu einer Industrie geworden und hat eine große wirtschaftliche Bedeutung. Österreichs Schiindustrie gilt als führend in der Welt und ist einer der größten Devisenbringer. Und die Schistars Toni Sailer, Karl Schranz, Franz Klammer und Annemarie Moser-Pröll waren vielbejubelte Lieblinge der Nation.

Ferien und Urlaub

Für die meisten Österreicher muß der ideale Ferienort vor allem zwei Dinge aufweisen: Sonne und Wasser. Daher zieht es viele Urlauber zur sonnigen Alpensüdseite mit ihren warmen Badeseen. Kärnten und die Steiermark sind die Renner. Die Auslandsreisen gehen vor allem in die drei Mittelmeerländer Italien, Jugoslawien und Griechenland. (Italien ist neuerdings wegen des verschmutzten Meeres nicht mehr so beliebt; dafür kommt die Türkei in Mode.)

Viele Österreicher machen im Winter einen Schiurlaub, besonders seit es in den Schulen eigene Winterferien gibt. Beliebt sind auch Kurzurlaube in die Nachbarländer.

Marktforscher haben festgestellt, wie sich die Österreicher ihren Urlaub vorstellen: Die meisten wollen sich erholen, weit weg vom Alltag sein und die Natur genießen. Kunst, Kultur, Festspiele, aber auch Sport sind weniger gefragt. Auch neue Bekanntschaften schließen wollen die meisten im Urlaub nicht. Der Wahlspruch der Österreicher für ihren Urlaub könnte also lauten: Mei Ruah will i.

Ungefähr die Hälfte der Österreicher kann sich überhaupt keinen Urlaub leisten. Vor allem Bauern und Arbeiter müssen oft auf eine Ferienreise verzichten. Sie machen Urlaub zu Hause auf dem Balkon.

Erklärung

Mei Ruah will i	meine Ruhe will ich

Fragen

1. *Wie unterscheiden sich die Freizeitgewohnheiten der Österreicher von denen in Ihrem Land? Was tun Sie in Ihrer Freizeit gerne? Ergänzen Sie die Liste.*
2. *Wie verbringen Sie Ihre Ferien am liebsten? Wie sieht für Sie der ideale Ferienort aus? Wohin fährt man in Ihrem Land auf Urlaub? Gibt es Urlaubstrends?*

9 Schule – Studium – Ausbildung

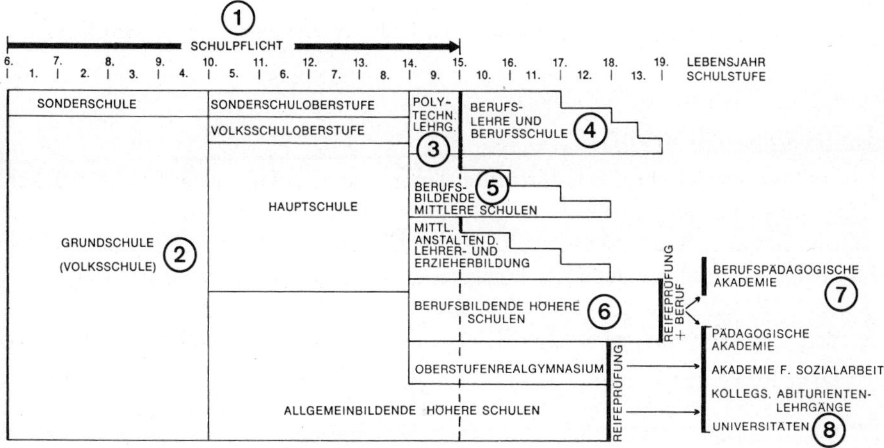

Das österreichische Schulsystem

1 In Österreich müssen alle Kinder vom 6. bis zum 15. Lebensjahr die Schule besuchen.

2 Mit 10 Jahren können die Schüler zwischen den folgenden Schultypen wählen (Übertritte sind möglich):

a) Die *Hauptschule* soll die Allgemeinbildung erweitern und zugleich auf das praktische Leben vorbereiten.

b) Die *allgemeinbildende höhere Schule* (AHS) (=Gymnasium) führt nach acht Jahren zur Reifeprüfung (Matura). Nur wer eine Matura hat, kann an einer Universität studieren. (Seit 1977 gibt es die Möglichkeit, auch ohne Matura zu studieren.) Es gibt mehrere Formen des Gymnasiums mit verschiedenen Schwerpunkten (z.B.: zwei lebende Fremdsprachen; mehr Mathematik und Naturwissenschaften).

3 Wer seine Schulpflicht erfüllt hat und ins Berufsleben eintreten will, besucht ein Jahr lang den *Polytechnischen Lehrgang*, wo er eine Berufsorientierung bekommt.

4 Lehrlinge erhalten ihre praktische Ausbildung im Betrieb und besuchen zusätzlich eine *Berufsschule*. Wer z.B. Tischler werden will, tritt als Lehrling in eine Tischlerei ein, wird Geselle und schließlich Meister.

5 *Berufsbildende mittlere Schulen* ersetzen eine Lehre und bieten eine Ausbildung zu Berufen wie technische Zeichner, Graphiker, Elektrotechniker.

6 *Berufsbildende höhere Schulen* gibt es in vielen Fachrichtungen (z.B. Maschinenbau, Chemie, Textil, Fremdenverkehr, Landwirtschaft, Wein- und Obstbau). Sie dauern fünf Jahre und schließen mit einer Matura ab. Absolventen treten meistens gleich in den Beruf ein, können jedoch auch weiterstudieren.

7 Volks- und Hauptschullehrer studieren sechs Semester an einer *Pädagogischen Akademie*.

8 Für akademische Berufe gibt es in Österreich zwölf Universitäten und sechs künstlerische Hochschulen.
Das Studium ist seit 1972 für Österreicher und Studenten aus Entwicklungsländern kostenlos.

Lehrlingsausbildung

Es gibt in Österreich über 200 Lehrberufe, darunter so ausgefallene wie Bonbonmacher, Schädlingsbekämpfer oder Segelflugzeugbauer. In Wirklichkeit werden aber 52 Prozent der Burschen und rund 84 Prozent der Mädchen in nur 10 Lehrberufen ausgebildet. Die meisten Burschen wollen Kfz-Mechaniker werden, die meisten Mädchen entscheiden sich für den Beruf des „Einzelhandelskaufmannes", wollen also Verkäuferinnen werden. An den Berufswünschen der jungen Leute hat sich in den letzten Jahren nur wenig geändert.

Erklärungen

der Schädlingsbekämpfer,-	jemand, der z.B. Insekten mit chemischen Mitteln tötet
der Kfz-Mechaniker,-	Automechaniker

Die häufigsten Lehrberufe bei Mädchen und Burschen

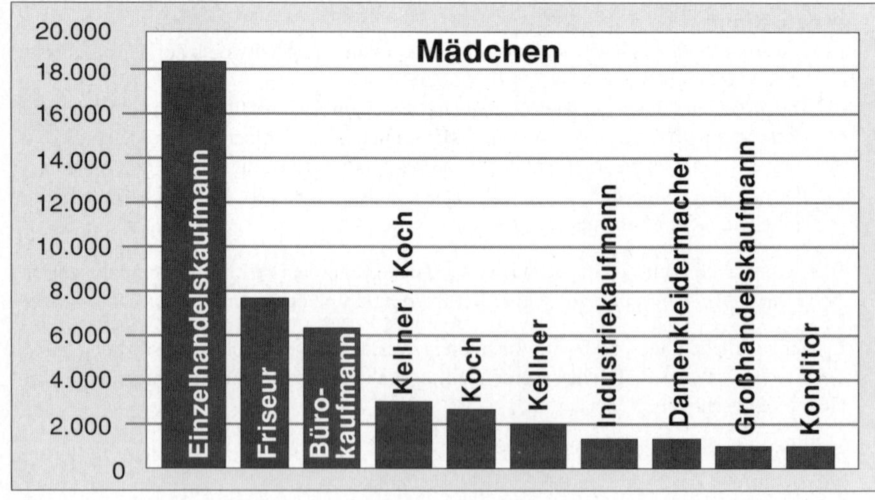

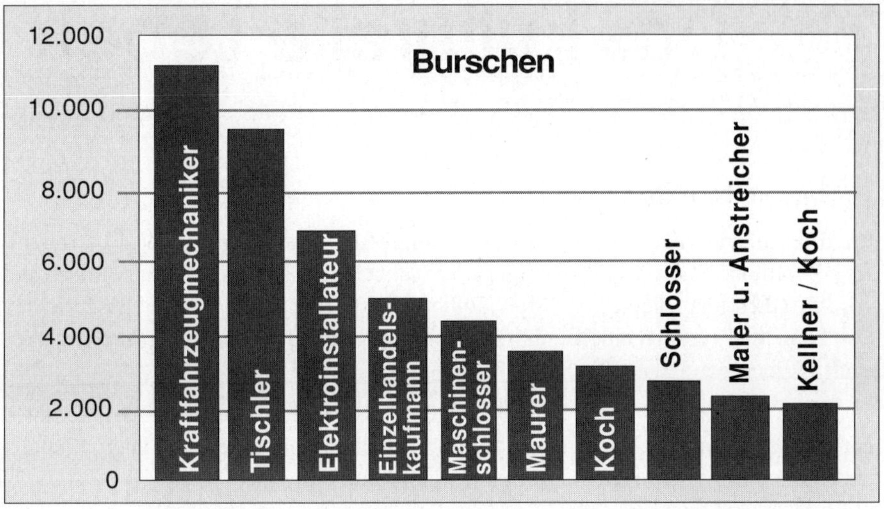

Rund 84% der weiblichen Lehrlinge werden in 10 Berufen ausgebildet.
Bei den Burschen beträgt dieser Anteil rund 52%.

Fragen und Aufgaben

1. *Welche Ausbildung hat*
   a) ein Arzt / eine Ärztin
   b) ein Verkäufer / eine Verkäuferin
   c) ein Hauptschullehrer / eine Hauptschullehrerin?

2. *Vergleichen Sie das Schulsystem Ihres Landes mit dem österreichischen Schulsystem. Was gefällt Ihnen am österreichischen System? Was gefällt Ihnen nicht?*

3. *Erklären Sie kurz.*
   a) AHS
   b) Berufsschule
   c) Matura
   d) Hauptschule
   e) Pädagogische Akademie

10 Das kulturelle Leben

Rundfunk und Fernsehen

Rundfunk und Fernsehen sind in Österreich eine öffentliche Aufgabe. Der „Österreichische Rundfunk“ (ORF) steht zwar unter der Aufsicht des Bundes, ist aber politisch und wirtschaftlich unabhängig. Als Monopolbetrieb ist er nicht auf Gewinn ausgerichtet. Die Teilnehmer zahlen eine Gebühr. Sowohl im Radio als auch im Fernsehen gibt es auch Werbesendungen.

Der ORF bietet täglich zwei Fernseh- und drei Hörfunkprogramme an. Dazu kommen ein Auslandsdienst auf Kurzwelle in fünf Sprachen („Radio Österreich International“) und ein englischsprachiges Programm („Blue Danube Radio“).

Fernsehen

Die beiden Fernsehkanäle (FS 1, FS 2) bieten täglich (einschließlich Wiederholungen) etwa 29 Stunden Programme verschiedenster Art an. Besonders häufig gesehen werden „Österreich heute“, ein Bundesländer-Magazin, und die Nachrichtensendung „Zeit im Bild“. Einen guten Ruf im gesamten deutschen Sprachraum hat sich der „Club 2“ (FS 2) gemacht, eine Diskussionssendung am späten Abend mit open end über aktuelle, oft umstrittene Themen. Daß dabei die Club-Gäste ihre Meinung oft sehr freimütig vertreten, hat zum Erfolg der Sendung beigetragen.

Erklärungen

unter Aufsicht stehen	kontrolliert werden
auf Gewinn ausgerichtet	kommerziell
freimütig	offen, gesprächig

Hörfunk

Österreich 1 (Ö1)	Schwerpunkte: anspruchsvolle Musik, Literatur, Wissenschaft, Kultur, Information.
Österreich 2 (Ö2)	Das Programm vor allem für Hörer im ländlichen Raum: lokale Sendungen, volkstümliche Musik und Unterhaltung
Österreich 3 (Ö3)	„Die Welle für das junge Publikum“: Pop-, Tanz-, Unterhaltungsmusik, Jazz, internationale Folklore, stündliche Nachrichten.

Die Presse

Die absolut größte Tageszeitung der westlichen Welt erscheint in Tokio und heißt „Yomiuri Shimbun". Mit einer Auflage von fast 14 Millionen Exemplaren liegt sie in fast 40 Prozent aller japanischen Haushalte auf. Ihr Chef gilt als einer der reichsten Männer Japans.

Die relativ größte Tageszeitung der Welt erscheint in Wien und trägt den Titel „Neue Kronen-Zeitung". Bei einer Auflage von rund einer Million Exemplaren versorgt sie etwa 40 Prozent der Österreicher. Ihr Chef ist ebenfalls einer der reichsten und mächtigsten Männer des Landes.

Die „Krone", wie sie die Österreicher nennen, ist ein Weltphänomen: In Relation zur Einwohnerzahl erreicht sie mit 2,5 Millionen Lesern täglich verhältnismäßig mehr Menschen als jede andere Zeitung. Sie liegt sogar mit der berühmten „New York Times" Kopf an Kopf und distanziert so renommierte Blätter wie „Le Monde", die Londoner „Times" und die „Neue Zürcher Zeitung". Die Nummer zwei am österreichischen Zeitungsmarkt, der „Kurier", hat eine Auflage von etwa 500 000 und ist damit noch immer größer als etwa die „Frankfurter Allgemeine" und die „Süddeutsche Zeitung". Die „Kleine Zeitung" (mit je einer Ausgabe für die Steiermark und Kärnten) liegt mit einer Auflage von rund 260 000 auf Platz drei der Zeitungsriesen.

Die Pressekonzentration in Österreich ist also sehr hoch. Praktisch teilen sich drei Zeitungen drei Viertel der Leser und zwei Drittel der Werbung. Gab es 1953 noch dreißig selbständige Zeitungen, sind es heute weniger als zwanzig. Die Österreicher haben damit, wie ein Kritiker sarkastisch bemerkt, eine ähnlich dürftige Auswahl wie die Leser in Rumänien, Uruguay und Bangladesh. (Die Bundesdeutschen haben im Vergleich dazu über 380, die Schweizer über achtzig Tageszeitungen.)

„Krone" und „Kurier" sind Boulevardzeitungen. Die „Krone" insbesondere verkauft eine Mischung aus Sensation, Klatsch und Tratsch, persönlich gehaltenen Kommentaren, Fotos von spärlich bekleideten Mädchen und Karikaturen an Stelle von ernsten Nachrichten.

Zu den seriösen Tageszeitungen zählen die in Wien erscheinende, eher konservative „Presse" und der erst 1988 gegründete liberale „Standard". Wichtig sind auch die „Salzburger Nachrichten" und die „Oberösterreichischen Nachrichten". Eine Sonderstellung hat die „Wiener Zeitung", die dem österreichischen Staat gehört und viele amtliche Mitteilungen enthält.

Zwei einflußreiche Wochenmagazine sind das „profil", in manchem ein österreichisches Gegenstück zum deutschen Nachrichtenmagazin „Der Spiegel", und die „Wochenpresse". Beide erscheinen in Wien. Die mit Abstand größte Wochenzeitschrift ist jedoch „Die ganze Woche" (fast 800 000 Exemplare), ein buntes Blatt, das sich patriotisch gibt (Untertitel „Unser Herz gehört Österreich") und für ein breites Publikum

DER STANDARD

ÖSTERREICHS UNABHÄNGIGE TAGESZEITUNG FÜR WIRTSCHAFT, POLITIK UND KULTUR

MONTAG, 5. MÄRZ 1990 HERAUSGEGEBEN VON OSCAR BRONNER NR. 194 S 10,–

WIENER
DIE WAHRHEIT ÜBER
SEX
DIE ZEITSCHRIFT
April 1990

WOCHENPRESSE

Wirtschaft, Politik & Kultur

profil
Gen-Technologie: Die Maß-Menschen kommen
Volksseuche Ausländerfeindlichkeit

WIENER ZEITUNG
Donnerstag, 22. März 1990 • Nummer 67 • Telefon (0 22 2) 78 76 31
Gründungsjahr 1703
Preis 7 S

NUMMER 73 ☆ 46. JAHRGANG ÖSTERREICH-AUSGABE MITTWOCH, 28. MÄRZ 1990

Salzburger Nachrichten

UNABHÄNGIG S 8,–

KURIER
Unabhängige Tageszeitung für Österreich
Mittwoch, 28. Februar 1990 • Nr. 57 • S 7,–

Mittwoch
28. März 1990
Nr. 73 S 7.–
Auflagengrößte Bundesländer-zeitung P.b.b.
Unabhängig
Erscheinungsort Graz, Verlags-postamt 8020 Graz
Telefon 0 316/80 63-0

Die Presse

Unabhängige Tageszeitung für Österreich

Dienstag, 6. März 1990

First Class. Täglich.

DIE PRESSE im Abo täglich nur S 9,–

Gegründet 1848 Nr. 12.599

gedacht ist. Das Monatsmagazin „trend" ist die herausragende Wirtschaftspublikation des Landes. Zwei illustrierte Zeitschriften wurden in den letzten Jahren populär: „Basta" und der „Wiener" (für die Zielgruppe der Zwanzig- bis Vierzigjährigen). Und der „Rennbahn-Express" soll den massenhaft aus der Bundesrepublik importierten Jugendzeitschriften („Bravo") Konkurrenz machen (und tut es auch). Daß nämlich in Österreich auch sehr viele Zeitschriften aus Deutschland gelesen werden, läßt sich denken. Manche Österreicher sind darüber nicht sehr glücklich und fürchten, daß der österreichische Zeitungsmarkt immer weniger österreichisch sein wird. Im übrigen: „Kurier" und „Kronenzeitung" gehören seit 1988 fast zur Hälfte einem bundesdeutschen Mediengiganten.

Aufgabe

Vergleichen Sie die Situation der Massenmedien in Österreich mit jenen in Ihrem Land. Gibt es Parallelen? Worin liegen die Unterschiede? Was erwarten Sie von einer Tageszeitung? Welche Fernsehprogramme sehen Sie am liebsten?

Musik und Festspiele

Österreich gilt auf der ganzen Welt als das Land der Musik. Hier lebten und wirkten Haydn, Mozart und Beethoven, aber auch moderne Komponisten wie Gustav Mahler, Arnold Schönberg und Alban Berg. Und wenn am 1. Jänner die Wiener Philharmoniker ihr Neujahrskonzert geben, sitzen Millionen von Menschen in ganz Europa und zum Teil auch in Übersee vor den Fernsehschirmen.

Besonders mit Wien verbindet man viele große Namen der Musikgeschichte. Christoph Willibald Gluck reformierte hier am Ende des 18. Jahrhunderts die Oper. Schubert

Richard Strauss (am Klavier) und Hugo von Hofmannsthal

Herbert von Karajan

Franz Schubert (1797–1828)

Gustav Mahler (1860–1911)

schrieb in Wien innerhalb von zwei Jahren seine zweihundertfünfzig Lieder. Die unzähligen Walzer der Strauß-Dynastie sind allgemein als Wiener Walzer bekannt. Johannes Brahms übersiedelte von Hamburg nach Wien und fand hier mit seinen Symphonien und Liedern schnell Anerkennung. Auch Richard Strauss ist als Nicht-Österreicher mit dem Musikleben von Wien eng verbunden. Er war mehrere Jahre Operndirektor und hatte in Hugo von Hofmannsthal einen österreichischen Librettisten, der seinen Opern, besonders dem „Rosenkavalier", eine unverwechselbar österreichische Note gab.

Auch Dirigenten mit Weltruf kommen aus Österreich. Der aus Graz stammende Karl Böhm (1894-1981) und der Salzburger Herbert von Karajan (1908-1989) sind die prominentesten. Ihre Schallplattenaufnahmen haben Millionenauflagen. Bei den von Karajan begonnenen Salzburger Osterfestspielen und Pfingstkonzerten treffen sich Musikfreunde aus aller Welt.

Die Wiener Sängerknaben, die es seit über 500 Jahren gibt, sind durch ihre Konzertreisen auf der ganzen Welt bekannt. Und die Wiener Philharmoniker sind geradezu eine nationale Institution. Alle anderen österreichischen Orchester stehen in ihrem Schatten. Dabei sind auch die Wiener Symphoniker oder der Concentus musicus, der Barockmusik pflegt, Orchester von beachtlicher Qualität.

Musikfestspiele gibt es nicht nur in Salzburg und Wien. In Bregenz spielt man im Sommer, wenn es nicht gerade regnet, auf der Seebühne Operetten und seit einigen

Jahren auch Opern. Operettenfestspiele gibt es im Sommer in Bad Ischl und in Mörbisch am Neusiedler See. Der „steirische herbst“ schließlich hat sich seit 1968 international einen Namen als das Avantgardefestival im deutschen Sprachraum gemacht.

Auch auf dem Gebiet der Unterhaltungsmusik findet man Österreicher ganz vorne. Der 1975 verstorbene Robert Stolz bekam für seine Filmmusik in Amerika sogar den Oscar. Einige seiner Lieder sind geradezu Volkslieder geworden. Seit Jahren gehören Sänger aus Österreich zu den Fixsternen der deutschen Unterhaltungsindustrie. Die Fernsehshows des Wiener Sängers und Schauspielers Peter Alexander etwa zählen mit Einschaltquoten von 50–55 % zu den beliebtesten TV-Sendungen der Deutschen in West und Ost. Ein anderer, auch international erfolgreicher Popsänger aus Österreich ist der Kärntner Udo Jürgens. Er schreibt seine Chansons zum Großteil selbst und singt in mehreren Sprachen. Zu den großen „Exportartikeln“ der österreichischen Musikszene gehören auch Liedermacher wie Georg Danzer und Ludwig Hirsch. Und mit seinem Hit „Rock Me Amadeus“ wurde Hansi Hölzl, besser bekannt unter dem Namen Falco, sogar in Amerika ein ganz großer Rockstar.

Mit rund sieben Millionen verkauften Schallplatten gilt die „Erste Allgemeine Verunsicherung“ als die erfolgreichste Band, die Österreich je hervorbrachte.

Es scheint also, als hätten die Österreicher ein besonderes Verhältnis zur Musik. Auch durchaus unmusikalische Österreicher lassen es sich gerne gefallen, wenn man ihr Land als „die musikalische Heimat der Welt“ bezeichnet.

Links oben: Udo Jürgens, links unten: Falco, rechts oben: Georg Danzer, rechts unten: Ludwig Hirsch.

Es gibt wohl keine Erklärung, warum gerade Österreich so viele Musiker hervorgebracht hat. Die Lage des Landes am Schnittpunkt mehrerer Kulturen, die angenehme Landschaft, die Architektur und die Lebensweise der Menschen sind einige Faktoren, die sicher eine Rolle spielten. Warum hätte Mozart sonst ein finanziell günstiges Angebot des preußischen Königs ausgeschlagen? Er blieb in Wien und schrieb hier trotz großer Sorgen und häßlicher Intrigen gegen ihn seine schönsten Werke. Daß er in einem Armengrab auf dem Wiener Friedhof St. Marx begraben wurde, ist uns heute unverständlich. Aber das Verhältnis der Österreicher zu ihren Musikern war und ist oft ambivalent. Nicht immer haben sie ihre Komponisten zu deren Lebzeiten gut behandelt. Andererseits machten es die Musiker den Menschen ihrer Zeit nicht immer leicht. Beethoven schimpfte viel über die Wiener – und blieb dann doch. Tatsächlich, das weiß man, wurde er in Wien mit großem Verständnis unterstützt. Schubert, der nur wenige Jahre zuvor die Sensation in allen musikalischen Salons von Wien war, starb im Elend und war bei seinem Tod praktisch vergessen. Anton Bruckner konnte sich in Wien mit seinen Symphonien nur schwer durchsetzen. Ja, sogar der berühmte Donauwalzer, den die Österreicher heute gerne als ihre inoffizielle Hymne ansehen, fiel bei der Premiere durch. Freilich, das muß man dazusagen, war daran ein besonders dummer Text schuld. Auch Franz Lehárs „Lustiger Witwe", die viele Jahre hindurch während der Wiener Theaterferien den Touristen vorgesetzt wurde, erging es nicht besser. Mahler wurde zu seinen Lebzeiten verlacht, und der Zwölftonmusik von Schönberg, Webern und Berg können die Österreicher bis heute nur wenig abgewinnen.

Sind also die Österreicher, wie manche ausländische Kritiker schadenfroh meinen, in Wirklichkeit musikalisch immer rückständig gewesen? Nun, vielleicht waren eher die Komponisten ihrer Zeit oft voraus, und Fehlurteile gibt es nicht nur in Österreich.

Im Grunde fand die Musik in Österreich wohl die Unterstützung durch die richtigen Leute zur richtigen Zeit. Heute sind es die Steuerzahler, die die Tradition Österreichs als Musikland aufrechterhalten. Auch wenn sie manchmal über die hohen Gagen mancher Dirigenten und Sänger murren, bekennen sich die meisten Österreicher zu dieser Tradition und sind stolz darauf.

Erklärungen

als etwas gelten	angesehen werden als, gehalten werden für
wirken	arbeiten
übersiedeln	umziehen, an einen anderen Ort ziehen
die Anerkennung, -en	Lob, Bewunderung
der Schlager, -	ein populäres Lied mit einer einfachen Melodie
der Schnittpunkt, -e	Kreuzung
ausschlagen	nicht annehmen
sich durchsetzen	Erfolg haben, Anerkennung finden
durchfallen	Mißerfolg haben
aufrechterhalten	beibehalten, sichern

Fragen

1. *Welche österreichischen Komponisten kennen Sie?*
   (Sie können auch solche nennen, die nicht im Text stehen.)
2. *Welche Musikstücke von österreichischen Komponisten haben Sie schon gehört?*
3. *Kennt man in Ihrem Land Popsänger aus Österreich? Welche?*

Das Theater

Die Österreicher sind heute eine Nation von Fernsehkonsumenten. Trotzdem gibt es einen sehr regen Theaterbetrieb. Zwar besucht nur eine relativ kleine Gruppe von Gebildeten regelmäßig das Theater, doch genießt es eine breite Unterstützung, die in anderen Ländern undenkbar wäre.

In Österreich gehört es zur Tradition, daß die öffentliche Hand (Bund, Bundesländer und die großen Städte) die Theater erhält. Die meisten Österreicher sind auch damit einverstanden, daß Steuergelder dafür verwendet werden. Sind wir auch ein kleines Land, denken viele, kulturell sind wir eine Großmacht. So stört auch kaum jemanden, daß der Staat mehr für das Defizit der Wiener Staatsoper ausgibt als für alle diplomatischen Vertretungen im Ausland.

Wiener Burgtheater

Opernhaus in Graz

Nach dem Zweiten Weltkrieg war Wien eine verwüstete Stadt. Überall gab es Trümmer, Angst und Hunger. Trotzdem ging man sofort daran, die zerstörte Staatsoper und das Burgtheater wieder aufzubauen. Das kostete riesige Summen, aber niemand protestierte dagegen. Als der Wiederaufbau 1955 abgeschlossen war, wurde die Operneröffnung zu einem der größten Feste der Zweiten Republik.

Österreich hat aber nicht nur die Staatsoper und die „Burg", wie die Wiener das Burgtheater nennen. Die Volksoper, die hauptsächlich Operetten spielt, und das Akademietheater, das auch zeitgenössische Stücke bringt, sind die beiden anderen „Bundestheater". Wien hat daneben noch viele Privattheater. Das „Theater in der Josefstadt" gehört zu den ältesten und renommiertesten. Unter den vielen Wiener Kleintheatern ist das „Original Wiener Stegreiftheater", die einzige Stegreifbühne Europas, bemerkenswert.

Das österreichische Theaterleben ist aber keineswegs auf Wien beschränkt. Die Bühnen in den Bundesländern spielen alles, von großen Opern bis zum Musical, vom Klassiker bis zum Avantgardestück. Nur müssen sie mit wesentlich bescheideneren Mitteln auskommen.

Zu den wichtigen Landesbühnen zählt das Opernhaus in Graz, das noch heute als Sprungbrett für eine Karriere gilt. Auch die Städte Linz, Salzburg, Innsbruck und

Klagenfurt haben einen regelmäßigen Theaterbetrieb. Einzigartig ist das Salzburger Marionettentheater, wo vor allem Mozartopern gespielt werden. Zum Spiel der Puppen sind Bandaufnahmen mit den Stimmen der besten Sänger der Welt zu hören.

Erklärungen

zeitgenössisch	modern, heutig
das Stegreiftheater, -	ein Theater, in dem improvisiert wird, in dem gespielt wird, ohne zu proben
mit bescheidenen Mitteln auskommen	mit wenig Geld auskommen

Fragen

1. *Finden Sie es richtig, daß der Staat bzw. die Steuerzahler so viele Theater finanziell unterstützen? Wie ist das in Ihrem Land?*

2. *Wie ist das Theaterleben in Ihrem Land im Vergleich zu Österreich?*

Aufgabe

Machen Sie eine Liste. Welche kulturellen Einrichtungen (Musik, Theater) gibt es zum Beispiel in ... ?
(Wien, Graz, Salzburg, Bregenz, Bad Ischl)

Für welche der erwähnten Kulturveranstaltungen würden Sie sich am meisten interessieren? Warum?

Salzburger Marionetten („Die Entführung aus dem Serail" von Wolfgang Amadeus Mozart)

11 Kleine Kunstgeschichte Österreichs

Romanik

Die Bezeichnung „romanisch“ geht auf Elemente der römischen Kunst (Rundbogen, Säule) zurück. Österreich erlebte unter den Babenbergern die Blüte romanischer Kunst. Aus dieser Zeit sind hauptsächlich Kirchen- und Klosterbauten erhalten. Die romanische Kirche, die sich aus der frühchristlichen Basilika entwickelte, ist meistens dreischiffig. Das hohe Mittelschiff ist mit den Seitenschiffen durch rundbogige Arkaden verbunden, die auf Pfeilern oder Säulen ruhen. Die Decken waren zuerst flach und sind seit ungefähr 1100 gewölbt. Im Osten liegt eine halbkreisförmige Altarnische (Apsis). Zur romanischen Kirche gehört häufig eine Krypta (Unterkirche), die als Begräbnisstätte diente. An der Westfassade stehen meist zwei mächtige Türme mit einem einfachen, niedrigen Dach. Die Mauern der romanischen Kirchen sind massiv. Die rundbogigen kleinen Fenster lassen nur wenig Licht ein.

Das Portal verläuft oft schräg nach innen. Links und rechts gibt es schlanke Säulen oder Figuren. Über dem großen rechteckigen Tor befindet sich ein halbkreisförmiges Feld mit Figuren oder Schriftzeichen.

Vollkommen romanische Bauten wird man in Österreich nur selten antreffen. Viele Kirchen wurden schon in der Zeit der Gotik verändert und später „barockisiert“. Nur kleine Pfarrkirchen auf dem Land sind oft gut erhalten. Sie sind meistens einschiffig und haben nur einen wehrhaften Turm.

Die schönsten romanischen Basiliken sind die von Heiligenkreuz (Niederösterreich), Gurk (Kärnten) und Seckau (Steiermark).

Die älteste romanische Krypta aus dem Anfang des 11. Jahrhunderts hat Göß (Steiermark), die schönste mit hundert Säulen Gurk.

Romanische Kreuzgänge findet man in Salzburg und Millstatt (Kärnten). Die Kreuzgänge der Stifte Lilienfeld, Heiligenkreuz und Zwettl (alle in Niederösterreich) zeigen bereits den Übergang zur Frühgotik.

Eine interessante Sonderform der kirchlichen romanischen Baukunst sind die Karner (Beinhäuser), die man besonders in Niederösterreich, Steiermark und in Kärnten findet.

Die besten Beispiele romanischer Plastik findet man im Bogenfeld der Portale (Gurk, Millstatt, Peterskirche Salzburg, Riesentor des Wiener Stephansdomes). Einzigartig sind die schwer deutbaren Skulpturen an der um 1220 gebauten Pfarrkirche von Schöngrabern in Niederösterreich.

Aus der Zeit der Romanik stammt auch der in Klosterneuburg 1181 entstandene Verduner Altar. Er zeigt auf einundfünfzig Emailbildern Darstellungen aus der Bibel. Salzburg war damals ein Zentrum der Goldschmiedekunst (Kelche, Reliquienkreuze).

Erklärungen

die Blüte	hier: Höhepunkt
das Schiff, -e	der längliche Raum einer Kirche
der Pfeiler, -	Hauptsäule
gewölbt	halbkugelförmig
wehrhaft	gut befestigt
der Kreuzgang, ¨-e	Gang um den Klosterhof
der Karner,- (österr.)	Beinhaus; Gebäude, in dem beim Anlegen neuer Gräber die alten Gebeine aufbewahrt werden
deutbar	interpretierbar
der Goldschmied, -e	Handwerker, der mit Gold arbeitet

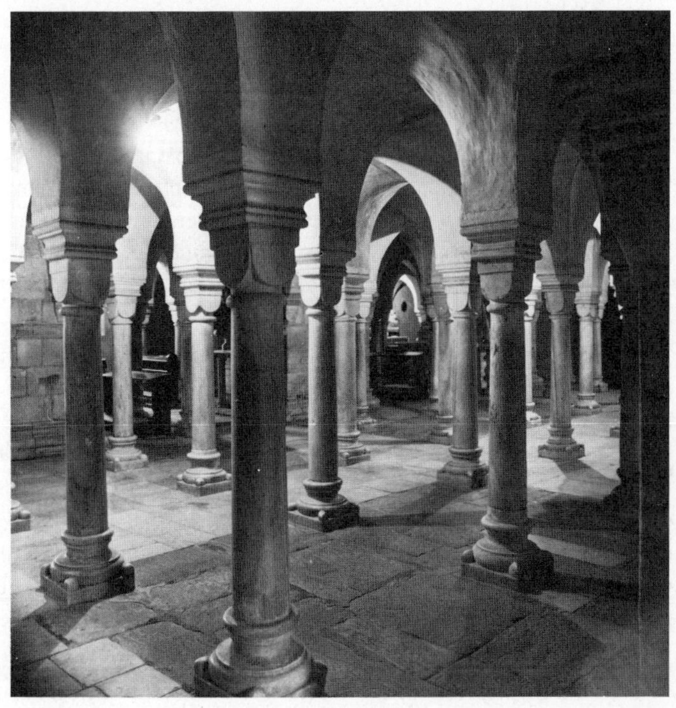

Krypta der Basilika von Gurk

Teil des Flügelaltars in Kefermarkt

Gotik

Die Gotik dauerte in Österreich von der Mitte des 13. Jahrhunderts bis tief in das 16. Jahrhundert.

Die Bettelorden (Franziskaner, Dominikaner) waren die ersten, die in dem neuen Stil bauten. Ihre Kirchen (z.B. die Minoritenkirche in Stein, Niederösterreich; die Pfarrkirche in Enns, Oberösterreich) reflektieren ihren asketischen Lebensstil. Sie sind schlicht und schmucklos und hinterlassen einen nüchternen und strengen Eindruck. Ganz anders sind die „Hallenkirchen", die von den Zisterziensern erbaut wurden (Lilienfeld, Heiligenkreuz, Neuberg in der Steiermark). In der Hallenkirche sind der Hauptraum und die beiden Seitenschiffe gleich hoch. Dieser Typus wird charakteristisch für den österreichischen Raum. Die Hallenkirchen sind gewöhnlich auch reicher geschmückt als die Kirchen der Bettelorden.

Die Zahl der hochgotischen (Mitte 14. Jh.) und spätgotischen (Mitte 15. Jh.) Kirchen in Österreich ist sehr groß, aber fast in jeder Landschaft gibt es Sonderformen.

Als schönste gotische Kirche in Österreich gilt der Stephansdom in Wien. Der 137 Meter hohe, schlanke Turm ist die Vollendung des idealen gotischen Turmes. Er ist reich gegliedert und mit Plastiken geschmückt. Viele kleine Spitztürmchen erhöhen den bewegten Eindruck.

Aus der Gotik sind auch zahlreiche Profanbauten erhalten. Dazu zählen das Bummerlhaus in Steyr (Oberösterreich) und das Kornmesserhaus in Bruck an der Mur (Steiermark). Von den vielen gotischen Burgen sind nur noch Reste erhalten, etwa die einzigartige Doppelwendeltreppe in der Grazer Burg, die Wasserburg Heidenreichstein (Niederösterreich), die Festung Hohensalzburg und die Burg Hochosterwitz in Kärnten.

Gotische Plastiken gehören zu den bedeutendsten Kunstwerken des Spätmittelalters. Große Meister verherrlichten in vielen Statuen die Muttergottes als junge, schöne und mütterliche Frau. Zu den prachtvollsten gehören die heute in Graz ausgestellte „Admonter Madonna" und die sogenannte „Dienstbotenmadonna" im Wiener Stephansdom.

Im 15. Jahrhundert entwickelte sich im Alpenraum eine volkstümliche Altarschnitzkunst. Der aus Tirol stammende Michael Pacher schuf den großen Flügelaltar von St.

Wolfgang. Österreich besitzt noch zweihundert solcher holzgeschnitzter Flügelaltäre, die meisten in Kärnten und Tirol. Unbekannt ist der Meister des besonders kunstvollen Flügelaltars in Kefermarkt (Mühlviertel, Oberösterreich).

Einmalig ist auch die gotische Glasmalerei, die eng mit der Baukunst verbunden ist. Die Fenster wurden in der Gotik breiter und höher. Glas wurde ein neues Baumaterial. Noch heute beeindrucken die gotischen Glasgemälde mit ihren leuchtenden Farben und interessanten Lichteffekten den Betrachter.

Erklärungen

der Bettelorden, -	Orden, der keinen Besitz hat (z.B. Franziskaner, Dominikaner)
nüchtern	einfach, klar
streng	hart, ernst
die Wendeltreppe, -n	schraubenförmige Treppe
verherrlichen	als herrlich zeigen, preisen
der Flügelaltar, ¨e	Altar mit zwei zusammenlegbaren Seitenteilen (Flügeln)
leuchtend	hell

Renaissance

Die Renaissance dauerte in Österreich nicht länger als hundert Jahre und ist ein uneinheitlicher Stil, der stets als eher fremd empfunden wurde.

Daß es in Österreich so gut wie keine sakrale Kunst aus der Renaissance gibt, ist eine Folge der Reformation. Im 16. Jahrhundert waren ein Großteil der österreichischen Bevölkerung und fast der ganze Adel protestantisch. Luthers Ansicht, daß ein Kirchenbau nicht aufwendiger sein müsse als jedes andere Haus, hatte sich durchgesetzt. Dagegen entstanden in der Renaissance einige prachtvolle Schlösser und Bürgerhäuser: Schloß Porcia in Spittal an der Drau (Kärnten), die Rosenburg und die Schallaburg in Niederösterreich, die Landhäuser in Linz und Graz, das Schweizertor, der Amalientrakt und die Stallburg der Hofburg in Wien.

Statt wie in der Gotik in die Höhe zu streben, suchen die Architekten der Renaissance einen Ausgleich zwischen horizontalen und vertikalen Kräften. Sie bauen eher in die Breite.

Die Schlösser erhalten nach italienischem Vorbild palastartige Fassaden, die durch Säulen, Figuren und Reliefs aufgelockert werden. Portale und Fenster bekommen kunstvolle Umrahmungen. Die Laubengänge und die stimmungsvollen Arkadenhöfe aus dieser Zeit lassen ebenfalls italienischen Einfluß erkennen.

In der Renaissance bemalte man auch gerne gotische Bürgerhäuser oder gestaltete sie durch die Sgraffitokunst, die aus Italien kam, neu.

In den Palästen richtete man große Säle mit holzgetäfelten Wänden und geschnitzten Decken ein. Bedeutend ist auch die Möbelkunst aus dieser Zeit. Adelige und reiche Bürger umgaben sich gerne mit kostbaren und schönen Dingen und begannen systematisch Kunstwerke zu sammeln. So wurde damals der Grundstock der Gemäldegalerie des Kunsthistorischen Museums in Wien gelegt.

Erklärungen

empfinden	spüren, fühlen
aufwendig	prächtig, luxuriös
in die Höhe streben	hoch werden
die Umrahmung	Einfassung. schützender Rand
der Laubengang, ¨e	Bogengang, Arkaden
stimmungsvoll	von schöner, harmonischer Atmosphäre
Sgraffito	Fassadenmalerei, bei der die Zeichnung in den noch feuchten Putz eingeritzt wird
holzgetäfelt	mit Holz verkleidet
der Grundstock	Grundlage, Basis

Sgraffito-Haus in Retz

Barock

Im 17. Jahrhundert wurde Österreich eine Großmacht. Die Türken waren besiegt, und nun wollte der Kaiser seine Hauptstadt zur schönsten Europas machen. Sein Schloß in Schönbrunn sollte größer und prunkvoller werden als das seines Konkurrenten, des Königs von Frankreich, in Versailles. Die Adeligen wollten es ihm gleichtun und ließen sich ebenfalls prächtige Palais bauen. Die katholische Kirche schließlich wollte ihren Triumph über den Protestantismus ebenfalls in der Architektur zeigen. Wien sollte ein neues Rom werden.

Das Schloß Belvedere ist ein gutes Beispiel barocker Architektur. Es füllt die ganze Breite des Gartens. Mit seinem festlichen Aussehen zieht es alle Blicke an sich. Die Fassade ist aufgelockert. An den Mittelteil schließen sich Seitenflügel und Ecktürme an. Das Dach bildet eine faszinierende Silhouette aus Pavillons und Kuppeln.

Im Schloßinneren findet man sehr viel Schmuck. Statuen tragen die Decke, Engelsfiguren (Putten) halten Laternen. Von den Prunkräumen blickt man in den Schloßgarten mit seinen Brunnen, Kaskaden, Teichen, Terrassen, Treppen und Rampen. Die Bäume sind wie Wände zugeschnitten, überall stehen allegorische Figuren.

Barockbauten wollen den Betrachter überraschen, ja verwirren. Deswegen verwendete man gerne Spiegel, die kleine Räume groß erscheinen lassen, aber auch viel Gold, kostbaren Marmor und teure Seidentapeten. Die Gärten sollten einem Schloß einen einzigartigen Rahmen geben. Alles mußte gut zusammenpassen. Unter der Führung der Architektur vereinigten sich Malerei, Plastik, Dekoration und Gartengestaltung zu einem Gesamtkunstwerk.

Noch vielfältiger und eindrucksvoller als die barocken Schlösser ist die Formenpracht der barocken Kirchen. Der bedeutendste barocke Kirchenbau in Wien ist die vom Architekten Johann Bernhard Fischer von Erlach erbaute Karlskirche.

Sie hat einen ovalen Grundriß und eine mächtige 72 Meter hohe Kuppel, für die der Petersdom in Rom das Modell ist. Auch hier bilden verschiedene gegensätzliche Elemente eine neue architektonische Einheit. In der Mitte der Fassade findet man eine römische Säulenvorhalle, rechts und links je eine Triumphsäule mit spiralenförmigen Reliefs und ganz außen niedrige Glockentürme mit geschwungenen Linien. Diese Kontraste passen harmonisch zusammen. Der Bau ist reich gegliedert. Man muß ihn von verschiedenen Richtungen betrachten. Erst dann kann man die Dynamik, das Spiel zwischen Kuppel, Säulen und Glockentürmen erkennen. Man ist überrascht, daß die Kirche immer wieder anders aussieht. Gerade das gefiel den Barockkünstlern, die im Kunstwerk immer Aktion und Bewegung haben wollten.

Die Barockkirchen haben reichen bildhauerischen Schmuck. Neben den prunkvollen Altären sind oft überlebensgroße Figuren von Heiligen aufgestellt. Über der Kanzel tummeln sich Scharen von kleinen vergoldeten Engeln. Eine barocke Kirche mit ihren

Schloß Belvedere

Karlskirche in Wien

vielen Formen und Farben sollte den Triumph über den Protestantismus vor Augen führen und im Beschauer Staunen, Freude und Bewunderung für den katholischen Glauben auslösen.

Erklärungen

prunkvoll	prächtig, luxuriös
der Flügel, -	hier: Seitenteil eines Gebäudes
die Kuppel, -n	Halbkugel über einem Raum
die Kaskade, -n	stufenförmiger Wasserfall
zwischen Sein und Schein	zwischen Realität und Illusion
einzigartig	einmalig
schwingen	einen Bogen machen
sich tummeln	sich lebhaft bewegen, fliegen
die Schar, -en	Gruppe
auslösen	herbeiführen, freisetzen

Klassizismus

Vom Ende des 18. bis zur Mitte des 19. Jahrhunderts orientierte sich die Architektur von Österreich stark an der Antike. In den Städten, vor allem in Wien und in Graz, entstanden repräsentative Bauten im Stile des "Klassizismus". Beispiele hierfür sind das Äußere Burgtor in Wien, das einem antiken Festungstor gleicht und der Theseustempel im Wiener Volksgarten, der einem griechischen Tempel nachgebildet ist. Typisch für den Klassizismus sind die antiken Säulen, die den Mauern vorgesetzt werden.

Im Volk wurde der Klassizismus nie populär. Auf dem Land konnte er sich überhaupt nicht durchsetzen. Dort klang die barocke Bautradition, die über zwei Jahrhunderte die Kunst beherrschte, nur sehr langsam ab.

Biedermeier

Die erste Hälfte des 19. Jahrhunderts stand für Österreich im Zeichen des Staatskanzlers Metternich. Er regierte mit Hilfe von Polizei und Armee über einen absolutistischen Staat. Das Bürgertum war nach Kriegen und vergeblichen Revolutionsversuchen enttäuscht und müde. Von der Politik völlig ausgeschlossen, zog es sich in die Privatsphäre zurück. Über Politik durfte man ja nicht einmal reden, denn überall gab es Spitzel der Polizei. So durchtanzte man eben die Nächte, saß im Kaffeehaus und spielte Billard. Man betrieb Hausmusik und unternahm Ausflüge und Wanderungen. Vor allem legte man Wert auf ein gemütliches und behagliches Heim.

Diesen neuen Lebensstil nannte man später „Biedermeier". Zunächst war die Bezeichnung abwertend gemeint. Der Name geht auf den fiktiven spießbürgerlichen schwäbischen Schullehrer Gottlieb Biedermeier zurück. Später wurde er zum Kennzeichen einer einfachen, genügsamen bürgerlichen Kultur und Lebensform, die spezifisch österreichisch ist, im übrigen Europa jedoch nur vereinzelt angetroffen wird.

Bedeutend ist die Biedermeiermalerei. Die Zahl der Biedermeiermaler ist sehr groß. Sie alle malten realistische Landschaften und das Leben der einfachen Menschen in Österreich. Als der hervorragendste Maler des Biedermeier gilt Ferdinand Waldmüller (1793–1865). Seine Landschaftsbilder mit ihren Lichtstimmungen sind bahnbrechend.

Er malte am liebsten die Wiener Umgebung, den Prater und den Wienerwald, aber auch die Gegend um Bad Ischl.

In der Architektur zeigt sich das Biedermeier vor allem im einfachen Bürgerhaus, wie man es heute noch oft im siebenten und achten Wiener Gemeindebezirk findet. Das Biedermeier liebt klare Formen und vermeidet überflüssige Dekorationen. Eine besondere Vorliebe hatte es für die Wohnkultur. Möbel und Einrichtungsgegenstände sind einfach und praktisch. Ihre klaren und scharfen Konturen kommen auf den Blumenteppichen der Zeit besonders gut zur Geltung. Man verwendet gerne geblümte und gestreifte Stoffe. Alles ist hell und freundlich. In den Glaskästen standen Nippsachen und geschliffene Gläser. Elegante Standuhren trugen zur Atmosphäre des Raumes bei.

Biedermeierräume strahlen Wärme und Behaglichkeit aus. So überrascht es nicht, daß Möbel aus dieser Zeit in Österreich heute sehr begehrt sind und zu oft überhöhten Preisen in Antiquitätengeschäften gehandelt werden.

Erklärungen

die Zeit stand im Zeichen von …	sie wurde geformt, beeinflußt von …
der Spitzel, -	Spion, heimlicher Aufpasser
behaglich	bequem, gemütlich
abwertend	negativ
spießbürgerlich	engstirnig, kleinlich, ohne Horizont
bahnbrechend	wichtig für die Zukunft, bedeutungsvoll
der Prater	großer Park in Wien
die Nippsachen	kleine Figuren für Vitrinen
geschliffene Gläser	Kristallgläser
ausstrahlen	aussenden, verbreiten

Biedermeier-Salon

Historismus

Als Kaiser Franz Joseph 1857 den Befehl gab, die Befestigungen um die Wiener Innenstadt zu schließen und die gewonnene Fläche zu verbauen, entstand die Ringstraße. Entlang dieser neuen Prachtstraße wurden öffentliche Gebäude und Palais, Parkanlagen und Denkmäler errichtet. Die Architekten griffen dabei auf Baustile der Vergangenheit zurück. Diesen Rückgriff nennt man Historismus.

Bei manchen Ringstraßenbauten wurde bei der Auswahl des Stils eine gewisse Symbolik beachtet. Für Gebäude, die der Kunst und Wissenschaft dienten, galt der Renaissancestil als besonders repräsentativ. So errichteten Eduard van der Nüll und August von Siccardsburg den ersten Ringstraßenbau, die heutige Staatsoper, im Stil der italienischen und französischen Renaissance. Ebenfalls im Renaissancestil gehalten sind das Kunsthistorische und das Naturhistorische Museum, die beide nach Plänen Gottfried Sempers und Karl Hasenauers entstanden. Auch die von Heinrich Ferstl entworfene Universität ist ein Renaissancebau.

Für den Bau des Parlaments wählte der dänische Architekt Theophil Hansen dagegen den antiken Stil, wie ihn die Griechen, das klassische Volk der Demokratie, pflegten. Neugotisch ist dann das von Friedrich Schmidt erbaute Rathaus. Es sollte an das spätmittelalterliche Bürgertum erinnern, das seine Rathäuser vielfach im gotischen Stil errichtete.

Andere wichtige Gebäude im „Ringstraßenstil“ sind das neubarocke Burgtheater und die ebenfalls neubarocke Neue Hofburg sowie die neugotische Votivkirche. Die historisierende Ringstraßenbauweise wurde überall in der Monarchie nachgeahmt. Noch heute findet man in allen Bundesländern, aber auch in Ungarn, der Tschechoslowakei und in Jugoslawien viele Gebäude in diesem Stil, die einander oft verblüffend ähnlich sehen.

Erklärungen

die Befestigung, -en	Anlage zum Schutz vor Angriffen
schleifen	abbauen, niederreißen
entwerfen	planen, projektieren
verblüffend	überraschend

Staatsoper

Secession

Um die Jahrhundertwende hatte man genug von der Nachahmung alter Stile. Eine Gruppe junger Maler wollte sich von der offiziellen Kunst der Zeit trennen und gründete eine neue Künstlergruppe, eben die Secession. Sie suchten Anschluß an eine Kunstströmung, die in Frankreich (art nouveau), England und Deutschland (Jugendstil) ihren Ursprung hatte.

Die Künstler der Secession meinten, daß Kunst das gesamte menschliche Leben mitgestalten sollte. Sie dachten praktisch und funktionell. „Etwas Unpraktisches kann nicht schön sein", meinte dazu Otto Wagner, der führende Architekt der Secession. Er baute moderne Häuser mit Küche und Bad und Aufzügen, was für Wien sehr fortschrittlich war. Die Secessionisten liebten Dekorationen und schmückten ihre Häuser mit phantasievollen Goldornamenten und Fliesenmalerei. Einfach und sparsam, aber originell ist die Fassade aus genagelten Platten des von Otto Wagner erbauten Postsparkassengebäudes in Wien. Von Wagner stammen auch die Stadtbahnstationen auf dem Karlsplatz in Wien sowie die Kirche am Steinhof.

Stadtbahnstation in Wien

Typisch für den Stil ist auch das von Josef Olbrich erbaute Secessionsgebäude in Wien. Es ist ein einfacher, nüchterner Zweckbau (Ausstellungshalle) mit einer dekorativen goldenen Lorbeerkuppel, die von den Wienern respektlos das „goldene Krauthappel" genannt wurde.

Der neue Stil stieß zunächst nicht auf allgemeine Begeisterung. Schwer hatte es anfänglich auch der Architekt Adolf Loos, der sogar das Dekor der Secessionisten ablehnte und für klare Flächen und Linien eintrat. Er meinte, das Ornament hätte mit der Kultur der Zeit keinen Zusammenhang. Sein schmuckloses Haus auf dem Michaelerplatz sagte den Wienern gar nicht zu, ja es löste stürmische Proteste aus. Loos wurde jedoch wegweisend für die moderne Architektur.

Die Secessionisten erneuerten auch das Kunsthandwerk. Ihr Ziel war es, einfache, aber formschöne Gebrauchsgegenstände (Gold- und Silberarbeiten, Bucheinbände, Geschirr, Stoffe, Möbel, Gläser, Keramik) herzustellen. Der Maler Kolo Moser machte sogar Gebrauchsgraphiken wie Briefmarken und Banknoten zu kleinen Kunstwerken. Unter den Malern der Secession gab es Vertreter aller Stile und Techniken. Der bedeutendste von ihnen ist Gustav Klimt. In seinen farbenprächtigen Gemälden ist das Ornament ein wichtiger Bestandteil.

Erklärungen

der Ursprung, ¨-e	Beginn
die Fliese, -n	Platte aus Keramik oder Porzellan
das Krauthappel (österr.)	umgangssprachlich: Krauthäuptel, Krautkopf
auf Begeisterung stoßen	gefallen
für etwas eintreten	für etwas sein
wegweisend	den Weg zeigend

Moderne Architektur

Nach dem Ersten Weltkrieg mußten in Österreich vor allem menschenwürdige Wohnungen gebaut werden. Funktionelles Denken wurde in der Architektur wichtiger als ästhetische Überlegungen. Die Gemeinde Wien begann mit der Entwicklung von großen Wohnhausanlagen, die als „Gemeindebauten" heute das Wiener Stadtbild prägen. Meist sind dies riesige Wohnburgen mit Hunderten von Wohnungen, großen Höfen und eigenen sozialen Einrichtungen wie Kindergärten oder Sportplätzen. Ein Beispiel ist der 1927 erbaute Karl-Marx-Hof, der zugleich ein Symbol für die Stärke der Arbeiterklasse sein sollte.

Nach 1945 ging es wieder darum, in möglichst kurzer Zeit viel Wohnraum zu schaffen. 290 000 Wohnungen, in Wien allein 112 000, waren zerstört oder unbenützbar. Der Wiederaufbau von Wohnhäusern wurde zu einer der wichtigsten Aufgaben der Nachkriegszeit. Heute haben das viele vergessen, wenn sie über die einfallslose Architektur der Nachkriegszeit spotten.

Als nicht weniger wichtig betrachtete man damals auch den Wiederaufbau der vielen historischen Bauten, die im Krieg zerstört oder beschädigt wurden. Schon 1951 konnte der ausgebrannte Stephansdom wieder benützt werden. 1955 wurden die Staatsoper und das Burgtheater wiedereröffnet, und 1959 war die Restaurierung des Salzburger Domes abgeschlossen.

Doch auch in der Zweiten Republik kam es zu bedeutenden architektonischen Leistungen. In Clemens Holzmeister hat Österreich einen Kirchenbauarchitekten von Weltruf. Holzmeister baute unter anderem die beiden Festspielhäuser in Salzburg. Mit der Wiener Stadthalle von Roland Rainer fand Österreich Anschluß an die europäische Architektur.

Zu den bemerkenswerten Bauten der letzten Jahrzehnte gehören die ORF-Studios von Gustav Peichl mit ihrem futuristischen Styling, die Brucknerhalle in Linz, die Kirche in Wien-Mauer von Fritz Wotruba und das von Johann Staber entworfene Internationale Zentrum im Wiener Donaupark („UNO-City"). 1980 wurde in Bregenz ein moderner Kongreß- und Festspielkomplex eröffnet.

Erklärungen

menschenwürdig	für Menschen passend
der Gemeindebau, -ten	gemeindeeigenes Wohnhaus (d.h. hier im Besitz der Stadt Wien)
spöttisch	sich lustig machend
einfallslos	ohne Phantasie

ORF-Studio in Eisenstadt

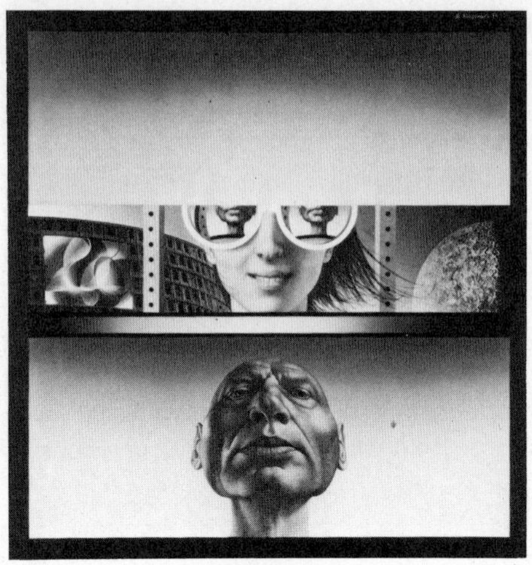

Ein „Adam"-Bild von Rudolf Hausner (1970)

Malerei des 20. Jahrhunderts

Als der größte österreichische Maler des 20. Jahrhunderts gilt Oskar Kokoschka (1886-1980), der das Land freilich schon früh verließ. Mit seinen Porträts, Landschafts- und Städtebildern wurde er weltberühmt.

Nach dem Zweiten Weltkrieg hat Österreich viele Talente hervorgebracht. Nur wenige haben sich jedoch international durchgesetzt. Das liegt daran, daß sich viele österreichische Künstler selbst isolierten. Sie interessierten sich hauptsächlich für die reiche Tradition in ihrem eigenen Land, nicht aber für die Gegenwart. So gingen die großen modernen Strömungen der Zeit wie abstrakte Malerei oder Pop-art an Österreich mehr oder weniger vorbei. Manche Kunstkritiker behaupten daher, daß die moderne Kunst in Österreich stagniere.

Den größten internationalen Erfolg erreichte die vor allem in Österreich selbst sehr populäre „Wiener Schule des Phantastischen Realismus". Die „Phantasten" zeigen reale Dinge in einer fremdartigen, phantastischen Welt. Realismus und Phantasie vermischen sich auf eigenartige Weise. So beschäftigt sich Rudolf Hausner (geb. 1914), der Älteste der Gruppe, in seinen vielen Adam-Bildern im Grunde nur mit sich selbst. Er malt stets sein inneres Bildnis. Die Gemälde und Graphiken von Ernst Fuchs (geb. 1930) mit ihren religiösen Darstellungen, den schönen Frauen und seltsamen Tieren sind unheimlich und anziehend zugleich. Wolfgang Hutter (geb. 1928) malt und zeichnet eine problemlose Märchenwelt voller Blüten, Schmetterlingen und graziösen „Blumenmädchen". Eine phantastische Welt, in der es von seltsamen Lebewesen, Käfern und Vögeln wimmelt, findet man auch in den leuchtenden Bildern von Arik Brauer (geb. 1929). Besonders in seinen bunten Graphiken widmet sich Brauer aktuellen Themen wie den Menschenrechten oder der Umweltverschmutzung.

Der wohl bekannteste österreichische Maler der Gegenwart ist Friedensreich Hundertwasser (geb. 1928). Mit seinen dekorativen Bildern und Graphiken, in denen immer wieder die Spirale dominiert, wurzelt auch er in der österreichischen Tradition. Viele Jahre protestierte Hundertwasser immer wieder gegen die Monotonie der modernen Architektur. Inzwischen hat er in Wien sein Traumhaus gebaut, seine Idee von einem menschlichen Wohnungsbau verwirklicht. Mit seinen bunten Fassaden, verschieden großen Fenstern und schiefen Wänden, mit seinen Zwiebeltürmen und begrünten Terrassen ist das 1985 fertiggestellte Hundertwasser-Haus weltweit auf Interesse gestoßen.

Friedensreich Hundertwasser vor seinem ungewöhnlichen Haus in Wien (1985)

International beachtet wird auch Arnulf Rainer (geb. 1929), ein Einzelgänger unter den österreichischen Künstlern. Er stellt zugleich den größten Gegensatz zu Hundertwasser dar. Wo Hundertwasser sorgfältig arbeitet, zerstört Rainer. Er ist mit seinen Bildern meistens unzufrieden und übermalt sie so lange, bis aus einer total schwarzen Fläche nur mehr ein kleines Stück Farbe herausleuchtet. Schockieren will Rainer auch mit übermalten Fotos seiner eigenen Grimassen.

Erklärungen

die Strömung, -en	Tendenz
eigenartig	merkwürdig, sonderbar
das Gemälde, -	gemaltes Bild
anziehend	attraktiv
es wimmelt von	es gibt sehr viele
wurzeln	fest verbunden sein

Fragen

Um welche Baustile handelt es sich?

a) Die Architekten der Zeit bauen am liebsten in Stilen der Vergangenheit.
b) Die prächtigen Bauten aus dieser Zeit mit ihren vielen Formen und Farben sollen den Betrachter überraschen und überwältigen.
c) Die Künstler dieser Zeit liebten Dekorationen und phantasievolle Goldornamente.
d) Der höchste Kirchturm Österreichs ist in diesem Stil gebaut.
e) Die Kirchen aus dieser Zeit haben massive Mauern und rundbogige kleine Fenster.

12 Wie sagt man in Österreich?

Kleines österreichisches Wörterbuch

Anmerkung (ugs.=umgangssprachlich; mdal. = mundartlich)
Die Österreicher verwenden zwar die angegebenen umgangssprachlichen und mundartlichen Wörter in großer Zahl, dem Ausländer ist jedoch bei der Benützung dieser und anderer umgangssprachlicher Wörter Vorsicht empfohlen.

A

die Abfertigung, -en	Abfindung
abgängig	verschwunden, vermißt
die Ablöse, -n	Geld, das ein Mieter manchmal bezahlen muß, um eine Wohnung zu bekommen
die Abwasch, -en	Einrichtung zum Geschirrabwaschen, Spüle
der Adabei, -s (ugs.)	jemand, der überall dabei ist, Wichtigtuer
der Anrainer, -	Grundnachbar, Anlieger
auffi (mdal.)	hinauf
ausgsteckt	zum Zeichen, daß hier heuriger, neuer Wein ausgeschenkt wird, hängt über dem Tor ein Kranz oder ein Buschen aus Tannenzweigen
die Auslage, -n	Schaufenster
ausständig	ausstehend, fehlend

B

die Backerbsen	Suppeneinlage aus gebackenem Teig in Erbsenform
die Bäckerei, -en	auch: süßes Kleingebäck
die Bedienerin, -nen	Putzfrau
der Beistrich, -e	Komma
betakeln (ugs.)	beschwindeln
das Beuschel	Speise aus Herz und Lunge
bissel, bisserl, bissl (ugs.)	ein bißchen
das Brötchen, -	kleines belegtes Brot
der Bub, -en	Junge
die Buchtel, -n	Mehlspeise aus Hefeteig, mit Marmelade gefüllt
der Bursch, -en	junger Mann
der Buschen, - (ugs.)	Blumenstrauß (siehe auch „ausgsteckt“)
die Buschenschank, -en	Weinausschank im Freien, Heurigenlokal

das Busserl, -n (ugs.)	1. Kuß; 2. kleines süßes Gebäck
das Bussi, - (ugs.)	kindertümliche Form zu "Busserl"

C

der Coloniakübel, - (ugs.)	in Wien: Mülleimer

D

da	hier
das Deka, -	1 Dekagramm (1 dag) = 10 Gramm; z.B.: 10 Deka Wurst
das Dirndl, -n (ugs.)	1. Mädchen; 2. Trachtenkleid
der Dodel, Todel, -n (ugs.)	blöder, dummer Kerl
doppeln	die Schuhe neu besohlen
die Draufgabe, -n	Zugabe (eines Künstlers)

E

eh	ohnehin, sowieso; z.B..: Ich weiß eh schon...
das Eierschwammerl, -n	Pfifferling
die Eierspeise, -n	Rührei
die Einbrenn	in Fett geröstetes Mehl für Gemüse und Suppen
eini (mdal.)	hinein
der Erdapfel, ¨	Kartoffel
der Erlagschein, -e	Zahlkarte, Einzahlungsschein der Post
die Extrawurst, ¨e	1. eine beliebte Wurstsorte; 2. (ugs.) Ausnahme; etwas Besonderes, das die anderen nicht haben

F

fad	langweilig; auch: ängstlich, zimperlich
das Faschierte	1. Hackfleisch; 2. Speisen aus Hackfleisch, z.B. faschierte Laibchen
der Fauteuil, -s	Sessel, Polstersessel
die Frittate, -n	nudelig geschnittener Pfannkuchen als Suppeneinlage

G

der Gegenstand, ¨e	auch: Schulfach, Fach
die Gelse, -n	Stechmücke
der Gendarm, -en	Polizist auf dem Lande
die Gendarmerie	Gesamtheit der Gendarmen
die Germ	Hefe
Geröstete (Erdäpfel) (Pl.)	Bratkartoffeln
geschert, gschert (ugs.)	dumm, grob

das Geselchte	geräuchertes Schweinefleisch, Rauchfleisch
gespritzt	mit Sodawasser verdünnt
der Gespritzte, -n	mit Sodawasser verdünnter Wein
das Gewand, ¨er	Kleidung
das Gfrett (ugs.)	Ärger, Mühe
die Grammel, -n	Griebe, gerösteter Speck
der Greißler, -	besonders in Wien: kleiner Lebensmittelhändler
der Gschaftlhuber, - (ugs.)	Wichtigtuer
das Gstanzl, -n	lustiges Lied
die Gstetten, - (ugs.)	verwilderte Wiese
der Gugelhupf, -e	Napfkuchen

H

der Häfen, -	1. Kochtopf, Gefäß; 2. (ugs.) Gefängnis
das Häferl, -n (ugs.)	Tasse
der Häuptelsalat, -e	Kopfsalat
der Hausbesorger, -	Hausmeister, Hauswart
das Häusel, -n (ugs.)	1. Einfamilienhaus, Häuschen; 2. Toilette
das Haxl, -n (ugs.)	Bein
das Hendl, -n	Huhn
die Hetz (ugs.)	Spaß
heuer	dieses Jahr
der Heurige, -n	der Wein der letzten Lese; Weinlokal
die Hutsche, -n	Schaukel

I

der Indianerkrapfen, -	Mohrenkopf; mit Schokolade übergossenes Gebäck
der Inspektor, -en	Anrede an einen Polizisten: „Herr Inspektor"
der I-Tüpferl-Reiter,- (ugs.)	Pedant

J

in Österreich [je:] ausgesprochen

der Jänner	Januar
die Jause, -n	Zwischenmahlzeit am Vormittag oder Nachmittag
Jessas (ugs.)	Jesus; Ausruf des Erschreckens

K

das Kaiserfleisch	geräuchertes Bauchfleisch (vom Schwein)
die Kaisersemmel, -n	runde Semmel (Brötchen)
der Karfiol	Blumenkohl

der Kasten, - (Kästen)	Schrank
keppeln (ugs.)	dauernd schimpfen
die Keusche, -n	kleines ärmliches Haus
das Kipferl, -n	gebogenes Weißbrotgebäck; Hörnchen
das Klar	Eiweiß
das Klumpert (ugs.)	wertloses Zeug
der Knödel, -	Kloß
die Kolatsche (Golatsche), -n	gefüllter Hefekuchen
der Krampus, -se	Begleiter des Nikolaus am 5. oder 6. Dezember
der Krapfen, -	runde Mehlspeise aus Hefeteig, die in Fett gebacken wird
der Kren	Meerrettich
das Krügel, -	Bierglas mit Henkel, das 1/2 l faßt
der Kukuruz	Mais
das Kuvert, -s	Briefumschlag

L

das Laibchen, -	Gebäck oder Fleischspeise in runder Form
der Landeshauptmann, -männer/ -leute	Chef der Regierung eines Bundeslandes; in der Bundesrepublik Deutschland: Ministerpräsident
der Lungenbraten, -	Rinderfilet

M

das Mäderl, -n	kleines Mädchen
Marandjosef (ugs.)	Maria und Josef: Ausruf des Erschreckens
die Marille, -n	Aprikose
die Maroni, -	Edelkastanie
die Masche, -n	Schleife
die Matura	Reifeprüfung, Abschlußprüfung einer höheren Schule
die Maut, -en	Gebühr für die Benützung einer Straße
die Mehlspeise, -n	Süßspeise (auch ohne Mehl), Kuchen
der Meldezettel, -	polizeiliches Anmeldeformular

N

na (ugs.)	nein
das Nachtmahl, -e/-mähler	Abendessen
das Nockerl, -n	kleine längliche Teigstücke als Beilage oder Suppeneinlage
das Nußbeugel, -	Hörnchen mit Nußfüllung

O

das Obers	süße Sahne
das Organmandat, -e	Polizeistrafe ohne Anzeige

P

die Palatschinke, -n	dünner Eierkuchen (Pfannkuchen), gerollt und mit Marmelade gefüllt
der Pallawatsch (ugs.)	Durcheinander
die Panier	Masse aus Ei, Mehl und Semmelbröseln als Hülle für Fleisch (Schnitzel)
papa (ugs.)	Abschiedsgruß
der Paradeiser, -	Tomate
die Parte, -n	Todesanzeige
der Patschen, - (ugs.)	Hausschuh
der Pfusch (ugs.)	auch: Schwarzarbeit
picken	kleben, haften
der Piefke, -(s) (ugs.)	abwertend: Deutscher
der Polster, Polster/Pölster	Kissen
der Powidl	Zwetschkenmarmelade
das Powidltatschkerl, -n	Mehlspeise mit Powidlfüllung
pragmatisieren	fest und unkündbar anstellen
präpotent	überheblich, arrogant
der Primarius, -rien/-rii	Chefarzt
pumperlgesund (ugs.)	völlig gesund
die Putzerei, -en	Kleiderreinigungsanstalt

Q

in Österreich [kve:] ausgesprochen

der Quargel, -n	kleiner, runder Stinkkäse

R

der Rauchfangkehrer, -	Schornsteinfeger
raunzen	jammern, weinerlich klagen
der Realitätenhändler, -	Grundstücks-, Häusermakler
das Reindl, -n (ugs.)	kleiner Kochtopf
die Rettung, -en	Krankenwagen
das Rexglas, -er	Einkochglas
die Ribisel, -n	Johannisbeere
die Rodel, -n	Schlitten
rückwärts	steht häufig für „hinten“ (rückwärts einsteigen)

S

die Schale, -n	Tasse
der Schanigarten, ¨	kleiner Garten auf dem Gehsteig vor einem Gasthaus
das Scherzel, - (ugs.)	Endstück eines Brotlaibes
der Schlag	Schlagsahne, Schlagobers
der Schmäh, -s (ugs.)	Trick, Schwindelei
der Schmarren, Schmarrn (Kaiserschmarren)	eine Mehlspeise; in der Pfanne gebackener zerstoßener Eierkuchen
die Schnalle, -n	Klinke
der Schnürlregen	anhaltener Regen, besonders in Salzburg
der Schnürlsamt	Kord
schupfen (ugs.)	stoßen, werfen
das Schwammerl, -n	Pilz
sekkieren	quälen, ärgern
die Semmel, -n	Brötchen
die Semmelbrösel (Pl.)	Semmelmehl
Servus	unter Freunden verwendeter Gruß
der Sessel, -	Stuhl
der Spengler, -	Klempner
das Stamperl, -n (ugs.)	kleines Schnapsglas
der Staubzucker	Puderzucker
die Stempelmarke, -n	Marke, mit der amtliche Gebühren bezahlt werden
der Sterz	Speise aus Mais
die Stiege, -n	Treppe
der Stoppelzieher, - (ugs.)	Korkenzieher
der Strudel, -	Mehlspeise, oft mit Äpfeln oder Topfen gefüllt, zusammengerollt und gebacken

T

tachinieren	faulenzen
der Tafelspitz, -e	gekochtes Rindfleisch (von der Hüfte)
der Taferlklaßler, - (ugs.)	Schüler, der 1. Klasse Volksschule
die Teebutter	Markenbutter
der Topfen	Quark
die Trafik, -en	Kurzform für „Tabaktrafik"; Verkaufsstelle für Tabakwaren, Zeitungen, Briefmarken
die Tuchent, -en	Federbett
sich tummeln (ugs.)	sich beeilen

U

ujegerl (ugs.)	oje
die Umfahrung, -en	Umleitung

V

sich verkühlen	sich erkälten
der Vogerlsalat	Rapunzel-, Feldsalat
das Vorzimmer, -	Vorraum, Diele
der Vorzugsschüler, -	ein sehr guter Schüler

W

die Watsche, -n (ugs.)	Ohrfeige
der Wecken ,-	Brot in länglicher Form
das Wimmerl, -n (ugs.)	Pickel, Pustel
der Wurstel, Wurschtl, - (ugs.)	Hanswurst, Kasperl, lustige Person
das Würstel, Würschtel, -	Würstchen; z.B.: heiße Würstel

Z

zaundürr (ugs.)	sehr mager
zizerlweis (ugs.)	nach und nach
der Zuckerbäcker, -	Konditor
das Zuckerl, -n	Bonbon
zuzeln (ugs.)	lutschen, saugen
die Zwetschke, -n	Pflaume
der Zwetschkenröster, -	Plaumenkompott, -mus

13 Österreichisches Deutsch

Der bekannte Wiener Kritiker Hans Weigel behauptet: „Es gibt so viele österreichische Sprachen, als es Österreicher gibt, nein: unendlich viel mehr noch, da ja jeder mit jedem anders spricht.“ Aber kann man überhaupt von einer österreichischen Sprache reden?

Nach 1945 wollten manche Politiker alles Österreichische, auch die Sprache der Österreicher, vom Deutschen abgrenzen. So gab es eine Zeitlang in den Schulen kein Fach „Deutsch“. In den Zeugnissen hieß es einfach „Unterrichtssprache“.

Diese Überspitztheit hielt jedoch nicht allzulange. Obwohl es seit 1951 auch ein „Österreichisches Wörterbuch“ gibt, bestand nie ein Zweifel, daß die Sprache der Österreicher Deutsch ist. Es gibt keine „österreichische Sprache“, wohl aber unterscheidet sich das in Österreich gesprochene Deutsch in manchem vom „Binnendeutschen“.

In der Schule lernen die Kinder die deutsche Schriftsprache. Die verwenden die Österreicher aber nur beim Schreiben und wenn sie sich gewählter und vornehmer ausdrücken wollen. Sie ist die „bessere Sprache“, die „sprachliche Festtagskleidung“. Österreich hat sprachlich viel mit Süddeutschland und der Schweiz gemeinsam. Es gibt jedoch viele „Austriazismen“, Wörter, die nur in Österreich verwendet und manchmal nur dort verstanden werden. Ein Beispiel ist die Gewichtsbezeichnung Dekagramm (abgekürzt: Deka oder dag) für 10 Gramm. Sie gilt in ganz Österreich, wird aber schon in Bayern nicht mehr ohne weiteres verstanden. Auch das Wort „Jause“ (= Zwischenmahlzeit, Imbiß) findet man nur in Österreich; und das dort allgemein übliche Zeitadverb „heuer“ (= dieses Jahr) ist in weiten Teilen Deutschlands überhaupt nicht bekannt.

Manche binnendeutschen Formen lehnen die Österreicher gefühlsmäßig ab. So würde ein Österreicher nie sagen: „Es schmeckt schön.“ Er kann nur sagen „Es schmeckt gut.“ Und wenn ein Deutscher seinem österreichischen Freund erklärt: „Ich fahre dieses Jahr nicht nach Wien, ich war gerade im Vorjahr da“, kennt sich der Österreicher wahrscheinlich nicht gleich aus. Unter „da“ versteht er immer „hier“. „Da“ in der Bedeutung „dort“ widerspricht dem österreichischen Sprachgefühl vollkommen.

Bei manchen Austriazismen haben sich unter dem Einfluß des Fremdenverkehrs und der bundesdeutschen Massenmedien auch binnendeutsche Formen durchgesetzt. So sind Tomaten, Kartoffeln und Sahne beinahe so gebräuchlich wie die österreichischen Bezeichnungen Paradeiser, Erdäpfel und Obers.

Eine vielbemerkte, oft imitierte, aber auch belächelte Sprachgewohnheit der Österreicher ist ihre Vorliebe, alles scheinbar zu verkleinern. Es gibt sehr viele Wörter auf -erl, die allerdings gar nicht immer echte Verkleinerungen sind. Ein Mäderl ist wohl ein kleines Mädchen, ein Buberl ein kleiner Bub und ein Haserl ein kleiner Hase. Ein Schwammerl ist aber nicht unbedingt ein kleiner Pilz, und ein Momenterl kann ganz schön lang sein. Bonbons heißen in Österreich Zuckerln, und ein Hörnchen heißt dort Kipferl.

Im Alltag verwenden viele Österreicher ihre Mundart. Die Mundarten in den einzelnen Bundesländern unterscheiden sich oft stark voneinander. Der Wiener spricht anders als der Kärntner oder Tiroler. Österreich ist sprachlich gesehen einTeil des Oberdeutschen. Acht Bundesländer gehören zum bairisch-österreichischen Dialektraum. In Vorarlberg spricht man Alemannisch.

Obwohl sich auch in Österreich die Sprache laufend ändert, besteht weder die Gefahr, daß die österreichische Sprachform ausstirbt noch daß sie zu einer Spaltung des deutschen Sprachraums beiträgt.

Erklärungen

die Überspitztheit, -en	Übertreibung, extreme Ansicht
die Verkleinerung, -en	Diminutiv
die Spaltung, -en	Trennung

Mit dem Reden kommen d'Leut z'samm

Das ist eine beliebte Redensart in Österreich. Aber manchmal haben sogar die Österreicher untereinander sprachliche Schwierigkeiten. Für ein und dieselbe Sache gibt es in den Dialekten verschiedene Bezeichnungen. In Wien bietet die Gemüsefrau „Fisoln" an, in Graz „Baunschadln", in Klagenfurt „Strangalan" und in Bregenz „Böhnile". Und alle meinen damit frische Bohnschoten.

Kärntnerisch

Frage einer Kellnerin:
„Brauchts Untatassalan a? Oder tan's de Schalalan allan a?"
„Braucht ihr Untertassen auch? Oder tun's die Schalen allein auch?"

Tirolerisch

Z'Imscht auf der Poscht kchriagscht di beschte Koscht.
Zu Imst auf der Post kriegst die beste Kost.

Steirisches Bauernrätsel

Der hots scha long,	Der hat's schon lang,
der hots scha long neahma,	der hat's schon lang nicht mehr,
der hots neahma long,	der hat's nicht mehr lang,
der hots scha long neahma long.	der hat's schon lang nicht mehr lang.

(Haar)

Erklärungen

z'samm	zusammen
die Bezeichnung, -en	Ausdruck, Wort
die Bohnschoten (Pl.)	grüne Bohnen
die Schale (österr.)	Untertasse
Imst	Stadt in Tirol
die Post	gemeint ist ein Gasthaus „Zur Post“

Noch einmal Kärntnerisch

Ungerecht

„I waß nit!“ klågt der klane Klaus, „i kenn mi hiatza niamer aus“ …	„Ich weiß nicht!“ klagt der kleine Klaus, „ich kenne mich jetzt nicht mehr aus“ …
Mei Muatta is so ungerecht, dåß i am liabstn wanan möcht!	Meine Mutter ist so ungerecht, daß ich am liebsten weinen möcht!
Auf'd Nåcht, wånn i noch fernsehn will, da sågt sie imma: 'Sei lei still,	In der Nacht, wenn ich noch fernsehen will, dann sagt sie immer: 'Sei doch still,
i will di jå damit nit stråfn, åber du bist noch klan und drum gehst schlåfn!‘	ich will dich ja damit nicht strafen, aber du bist noch klein und darum gehst du schlafen!‘
Und in da Fruah, dann sågt sie drauf: 'Bist schon so groß und stehst nit auf!'“	Und in der Früh, dann sagt sie drauf: 'Bist schon so groß und stehst nicht auf!'“

Wilhelm Rudnigger

Erklärung:

lei	unübersetzbares, in Kärnten beliebtes Füllwort.

Eine Wiener Geschichte

Ein Deutscher kommt nach Wien und sieht einen Straßenkehrer an seinen Besen gelehnt. In seiner Ordnungsliebe will er wissen, warum der Arbeiter nicht die Straße säubert, und fragt ihn: „Was machen Sie da?“ Der Straßenkehrer antwortet: „Ramaduri.“ (Das heißt: Räumen tu ich. = Ich räume die Straße auf.) Der Deutsche kann die Antwort rein sprachlich nicht verstehen und wendet sich an eine Gruppe von Straßenkehrern die ebenfalls ruhen. Er fragt sie: „Was machen Sie, meine Herren?“ Sie erwidern: „Ramadama“. (Das heißt: Räumen tun wir. = Wir kehren die Straße.) Da der Deutsche noch immer nichts versteht, wendet er sich verwirrt an einen Wiener in der Nähe und fragt ihn: „Was machen diese Männer?“ Da die Straßenkehrer wieder ihre Arbeit aufgenommen haben, gibt der Herr wahrheitsgemäß die Auskunft: „Ramadans.“ (Räumen tun sie. = Sie räumen auf.) Der Deutsche ist nun so klug wie zuvor.

rama dama

rama dama räumen tun wir
rama weama werden wir
rama woema wollen wir
rama dadma täten wir

gramd hauma geräumt haben wir
gramd hedma hätten wir

rama wüle räumen will ich
rama wire werde ich
rama dure tue ich
rama dade täte ich

gramd howe geräumt habe ich
gramd hede hätte ich

rama woins räumen wollen sie
rama weans werden sie
rama dans tun sie
rama dedadns täten sie, würden sie tun

rama dama räumen tun wir
rama dure tue ich

rama dans tun Sie
rama dadma täten Sie
rama dade täte ich
rama dedadns täten sie, würden sie tun

rama woema räumen wollen wir
rama wüle will ich
rama woens wollen sie
rama weama werden wir
rama wire werde ich
rama weans werden sie

gramd hauma geräumt haben wir
gramd howe habe ich
gramd haums haben sie
gramd hedma hätten wir
gramd hede hätte ich
gramd hedadns hätten sie

rama woema räumen wollen wir
rama miasma müssen wir
rama dama tun wir

Alfred Gesswein

Fragen

Wie sagt man in Österreich für ...?

a) Aprikose
b) Sahne
c) 100 Gramm
d) der Junge
e) dieses Jahr
f) Blumenkohl
g) Januar
h) Johannisbeere
i) Briefumschlag
j) Bonbon

Was ist ...?

a) eine Jause
b) ein Meldezettel
c) eine Putzerei
d) eine Tabaktrafik
e) ein Schanigarten
f) eine Semmel
g) ein Paradeiser
h) ein Gendarm
i) ein Schnürlregen
j) ein Sessel

14 Österreichische Literatur

Die Frage, ob es eine eigene österreichische Literatur gibt, wird unter Literaturexperten schon lange heftig diskutiert. Die einen meinen, daß österreichische Autoren in deutscher Sprache schreiben und man daher unmöglich von einer „österreichischen" Literatur sprechen könne. Die anderen argumentieren, daß sich Österreich nicht nur politisch, sondern auch in der Literatur eigenständig entwickelt habe. Für sie unterscheidet sich die österreichische grundsätzlich von der deutschen Literatur.

Niemand leugnet, daß die meisten Bücher von Österreichern in deutschen Verlagen erscheinen und ohne deutsches Lesepublikum nicht existieren könnten. Viele österreichische Autoren leben auch gar nicht in Österreich. Der wohl prominenteste österreichische Gegenwartsschriftsteller, Peter Handke, kehrte zum Beispiel erst 1979 in seine Heimat zurück. Mit vierundzwanzig hatte er Österreich verlassen, um in der Bundesrepublik und in Frankreich zu leben. Die Dichterin Ingeborg Bachmann (1926–1973) lebte lange in der Schweiz und in Rom. Das war auch vor dem Zweiten Weltkrieg nicht anders, als viele österreichische Schriftsteller nach Deutschland gingen, weil sie dort mehr verdienen konnten. Ja schon im 19. Jahrhundert wanderten Autoren aus Österreich aus. Der Lyriker Nikolaus Lenau und der Romanschriftsteller Karl Postl sind zwei Beispiele. Beide gingen nach Amerika. Lenau kam zwar enttäuscht zurück, aber Postl wurde unter dem Pseudonym Charles Sealsfield durch seine Indianerromane berühmt. Auch verfaßte er ein kritisches Buch über seine österreichische Heimat.

Es gibt Autoren, die durch ihren österreichischen Sprachgebrauch leicht als Österreicher zu erkennen sind. Dies gilt zum Beispiel für den heute noch viel gespielten Dramatiker Johann Nestroy (1801–1862), aber auch für den Steirer Peter Rosegger (1843–1918), der mit seinen Romanen und Erzählungen aus seiner steirischen „Waldheimat" auch in Deutschland großen Erfolg hatte. Und natürlich schreiben österreichische Autoren über österreichische Themen. Der populäre Karl Heinrich Waggerl (1897–1973) zeigt in seinen Romanen das Leben der einfachen Menschen im Land Salzburg. Die Dramatiker Arthur Schnitzler (1862-1931) und Hugo von Hofmannsthal (1874–1929) bringen die Wiener Gesellschaft um die Jahrhundertwende auf die Bühne. Heimito von Doderer (1896-1966) zeichnet in seinen Romanen ein lebendiges Bild von Wien in den zwanziger Jahren.

Und viele Gegenwartsautoren und -autorinnen wie Peter Turrini (geb. 1944), Barbara Frischmuth (geb. 1941), Elfriede Jelinek (geb. 1946), Franz Innerhofer (geb. 1944) und Michael Scharang (geb. 1941) setzen sich kritisch mit dem heutigen Österreich auseinander. Zu den österreichischen Autoren mit internationalem Ruf gehört neben dem

Lyriker Ernst Jandl der Dramatiker und Erzähler Thomas Bernhard (1931–1989). Sein 1988 entstandenes, sehr österreichkritisches Theaterstück „Heldenplatz" hat zu großen Kontroversen geführt. Aber man muß nicht über österreichische Themen schreiben, um ein österreichischer Autor zu sein. Es gibt noch viele andere Gemeinsamkeiten. So stehen manche österreichischen Schriftsteller in einer katholischen Tradition und lehnen aus Deutschland kommende philosophische Theorien ab. Andere wieder befassen sich am liebsten mit ästhetischen Fragen und interessieren sich nur wenig für aktuelle Probleme.

Wie immer man zur Frage der Eigenständigkeit der österreichischen Literatur steht, man muß zugeben, daß aus dem österreichischen Raum, der Monarchie wie der Republik, viele bedeutende Schriftsteller hervorgegangen sind. Österreich hat heute so viele gute und lesenswerte Autorinnen und Autoren, daß es unmöglich ist, hier auch nur annähernd einen Eindruck von der Vielfalt der Literaturszene des Landes zu geben. Die folgenden Textproben sollen zum Weiterlesen anregen.

Erklärungen

verfassen	schreiben
sich auseinandersetzen mit etwas	über etwas sprechen oder schreiben
sich befassen mit	sich beschäftigen
zugeben	ja sagen, einverstanden sein, anerkennen

BURGTHEATER
SPIELZEIT 1988/89
Anfang 19 Uhr
Freitag 4. November
Ende 22
Wahlabonnement – eingeschränkter Verkauf – Abonnement aufgehoben
URAUFFÜHRUNG
HELDENPLATZ
von Thomas Bernhard
Robert Schuster, Professor, Bruder des verstorbenen Professors Josef Schuster . . . . . Wolfgang Gasser
Anna und . . . . Kirsten Dene
Olga, Töchter . . . . Elisabeth Rath
Lukas, Sohn . . . . Karlheinz Hackl
Hedwig, genannt Frau Professor, die Frau des Verstorbenen . . . . . Marianne Hoppe
Professor Liebig, ein Kollege . . . Frank Hoffmann
Frau Liebig . . . . Bibiana Zeller
Herr Landauer, ein Verehrer . . . Detlev Ecksteı
Frau Zittel, die Wirtschafterin des Verstorbenen . . . . Anneliese Rö
Herta, sein Hausmädchen . . . . . Theres
Inszenierung: Claus Peymann
Bühnenbild und Kostüme: Karl-Ernst Herrmann
Dramaturgie: Hermann Beil, Jutta Ferbers
Regieassistenz: Walter Delazer
Bühnenbild- und Kostümassistenz: Matthias Karch
Akustische Einrichtung: Christian Venghaus
Technische Einrichtung: Herbert Kratochvil
Beleuchtung: Johann Lascsak

Peter Handke

Mit zwanzig Jahren schrieb der 1942 in Griffen in Kärnten geborene Peter Handke seinen ersten Roman. Mit zweiundzwanzig wurde er nach der Aufführung seines Sprechstückes „Publikumsbeschimpfung" die Sensation des avantgardistischen Theaters. Schon vorher hatte er durch seine Attacken auf etablierte Autoren von sich reden gemacht. Seither hat Handke viele Romane, Erzählungen und Gedichte geschrieben. Heute zählt er zu den bekanntesten Schriftstellern aus dem deutschen Sprachraum.

Zu einem Bestseller wurde seine Erzählung „Wunschloses Unglück", in der Handke vom Leben und vom Selbstmord seiner Mutter, aber auch von seiner eigenen Trauer und Hilflosigkeit schrieb.

Aus: Peter Handke, „Wunschloses Unglück"

Meine Mutter war das vorletzte von fünf Kindern. In der Schule erwies sie sich als klug, die Lehrer schrieben ihr die bestmöglichen Zeugnisse, lobten vor allem die saubere Schrift, und dann waren die Schuljahre auch schon vorbei. Das Lernen war nur ein Kinderspiel gewesen, nach erfüllter Schulpflicht, mit dem Erwachsenwerden, wurde es unnötig. Die Frauen gewöhnten sich nun zu Hause an die künftige Häuslichkeit.

Keine Angst, außer die kreatürliche im Dunkeln und im Gewitter; nur Wechsel zwischen Wärme und Kälte, Nässe und Trockenheit, Behaglichkeit und Unbehagen.

Die Zeit verging zwischen den kirchlichen Festen, Ohrfeigen für einen heimlichen Tanzbodenbesuch, Neid auf die Brüder, Freude am Singen im Chor. Was in der Welt sonst passierte, blieb schleierhaft; es wurden keine Zeitungen gelesen als das Sonntagsblatt der Diözese und darin nur der Fortsetzungsroman.

Die Sonntage: das gekochte Rindfleisch mit der Meerrettichsoße, das Kartenspiel, das demütige Dabeihocken der Frauen, ein Foto der Familie mit dem ersten Radioapparat.

Meine Mutter hatte ein übermütiges Wesen, stützte auf den Fotos die Hände in die Hüften oder legte einen Arm um die Schulter des kleineren Bruders. Sie lachte immer und schien gar nicht anders zu können.

Regen – Sonne, draußen – drinnen: die weiblichen Gefühle wurden sehr wetterabhängig, weil „Draußen" fast immer nur der Hof sein durfte und „Drinnen" ausnahmslos das eigene Haus ohne eigenes Zimmer.

Das Klima in dieser Gegend schwankt sehr: kalte Winter und schwüle Sommer, aber bei Sonnenuntergang oder auch nur im Laubschatten fing man zu frösteln an. Viel Regen;

schon Anfang September oft tagelang nasser Nebel vor den viel zu kleinen Fenstern, die auch heute kaum größer gebaut werden; Wassertropfen auf den Wäscheleinen, Kröten, die vor einem im Finstern über den Weg sprangen, Mücken, Insekten, Nachtfalter sogar am Tag, unter jedem Scheit in der Holzhütte Würmer und Asseln: davon mußte man abhängig werden, anderes gab es ja nicht. Selten wunschlos und irgendwie glücklich, meistens wunschlos und ein bißchen unglücklich.

Keine Vergleichsmöglichkeiten zu einer anderen Lebensform: auch keine Bedürftigkeit mehr? Es fing damit an, daß meine Mutter plötzlich Lust zu etwas bekam: sie wollte lernen; denn beim Lernen damals als Kind hatte sie etwas von sich selber gefühlt. Es war gewesen, wie wenn man sagt: „Ich fühle mich." Zum ersten Mal ein Wunsch, und er wurde auch ausgesprochen, immer wieder, wurde endlich zur fixen Idee. Meine Mutter erzählte, sie habe den Großvater „gebettelt", etwas lernen zu dürfen. Aber das kam nicht in Frage: Handbewegungen genügten, um das abzutun; man winkte ab, es war undenkbar.

Immerhin gab es in der Bevölkerung eine überlieferte Achtung vor den vollendeten Tatsachen: eine Schwangerschaft, der Krieg, der Staat, das Brauchtum und der Tod. Als meine Mutter einfach von zu Hause wegging, mit fünfzehn oder sechzehn Jahren, und in einem Hotel am See kochen lernte, ließ der Großvater ihr den Willen, *weil sie nun schon einmal weggegangen war;* außerdem war beim Kochen wenig zu lernen.

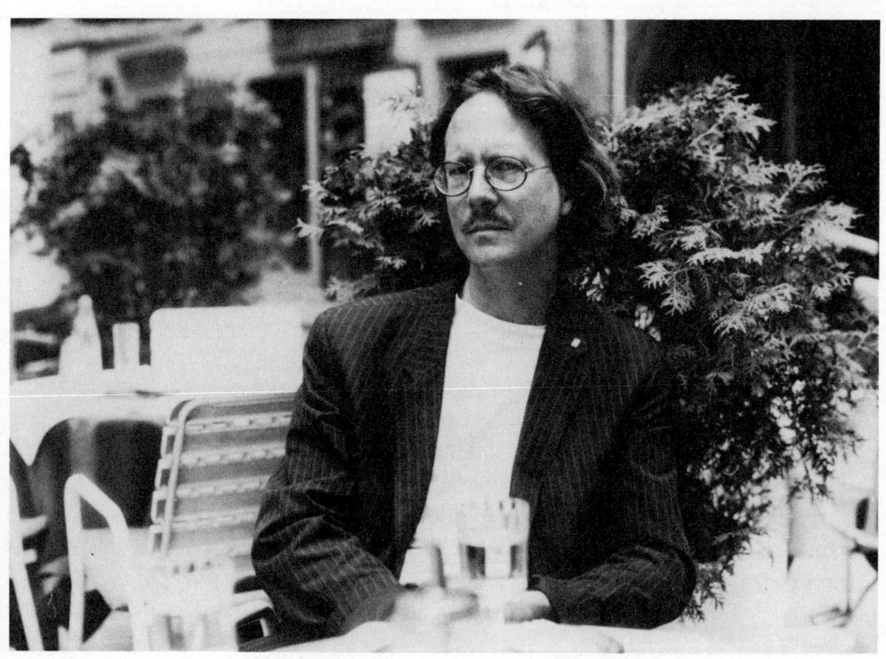

Aber es gab schon keine andere Möglichkeit mehr: Abwaschhilfe, Stubenmädchen, Beiköchin, Hauptköchin. „Gegessen wird immer werden." Auf den Fotos ein gerötetes Gesicht, glänzende Wangen, in schüchterne ernste Freundinnen eingehängt, die von ihr mitgezogen wurden; selbstbewußte Heiterkeit: „Mir kann nichts mehr passieren!"; eine geheimnislose, überschwengliche Lust zur Geselligkeit.

Das Stadtleben: kurze Kleider („Fähnchen"), Schuhe mit hohen Absätzen, Wasserwellen und Ohrklipse, die unbekümmerte Lebenslust. Sogar ein Aufenthalt im Ausland!, als Stubenmädchen im Schwarzwald, viele VEREHRER, keiner ERHÖRT! Ausgehen, tanzen, sich unterhalten, lustig sein: die Angst vor der Sexualität wurde so überspielt; „es gefiel mir auch keiner." Die Arbeit, das Vergnügen; schwer ums Herz, leicht ums Herz, Hitler hatte im Radio eine angenehme Stimme.

Das Heimweh derer, die sich nichts leisten können: zurück im Hotel am See, „jetzt mache ich schon die Buchhaltung", lobende Zeugnisse: „Fräulein ... hat sich ... als anstellig und gelehrig erwiesen. Ihr Fleiß und ihr offenes, fröhliches Wesen machen es uns schwer … Sie verläßt unser Haus auf eigenen Wunsch." Bootsfahrten, durchtanzte Nächte, keine Müdigkeit.

Erklärungen

die Assel, -n	Krebstierchen
anstellig	geschickt

Christine Nöstlinger

Christine Nöstlinger ist den meisten jungen Leuten in Österreich ein Begriff. Mit über sechzig Büchern ist Nöstlinger, Jahrgang 1936, Österreichs erfolgreichste Kinder- und Jugendbuchautorin. (Von Erwachsenen wird sie auch gerne gelesen.) Die Gesamtauflage ihrer Bücher, die vor allem in Deutschland verkauft werden und in viele Sprachen übersetzt sind, beträgt schon weit über eine Million.

Am liebsten schreibt Nöstlinger über das Alltagsleben junger Menschen und deren Beziehungen zu Eltern, Großeltern, Lehrern und Freunden. Zu ihren bekanntesten Büchern gehören „Ilse Janda, 14", eine turbulente Familiengeschichte ohne Happy-End, und „Maikäfer flieg!", ein autobiographischer Roman über das Ende des Zweiten Weltkrieges in Wien aus der Perspektive eines kleinen Mädchens. Die meisten Werke Nöstlingers sind sehr realistisch, doch manchmal macht die Autorin Ausflüge ins Phantastische, Groteske. Ein Beispiel ist der Erfolgsroman „Wir pfeifen auf den Gurkenkönig", in dem ein phantastischer König aus dem tiefsten Keller eine Familie total auf den Kopf stellt.

Aus: Christine Nöstlinger: „Wir pfeifen auf den Gurkenkönig“

Ich bin der Wolfgang und zwölf Jahre alt. Ich gehe in die zweite Gymnasiumsklasse. Martina sagt, ich sehe verboten aus. Mir ist ganz gleich, wie ich aussehe. So, wie ich wirklich gern aussehen möchte, kann ich sowieso nicht aussehen. Drum trage ich auch die Kieferregulierung nicht, obwohl sie fünftausend Schilling gekostet hat. Weil es bei mir auf die Hasenzähne schon nicht mehr ankommt. Bisher war ich immer ein guter Schüler. Aber jetzt haben wir den Haslinger als Klassenlehrer bekommen, und der kann mich nicht leiden. Der haut mir in Mathematik und Geographie einen Fünfer nach dem anderen hin. Am liebsten gehe ich schwimmen. Ich bin beim Schwimmverein. Wenn ich mich anstrenge, sagt der Trainer, kann ich in zwei Jahren Landes-Jugendmeister im Rückenkraulen werden.

Wir haben ein Haus gekauft, mit einem Garten. Seit drei Jahren wohnen wir da. Bis der Papa die Schulden für das Haus abgezahlt hat, ist er steinalt, hat die Mama gesagt. Darum müssen wir sparen, und der Opa kauft uns von seiner Pension die Schuhe und die Hosen und die Kleider für Martina. Das ist sehr angenehm, dem Opa ist es nämlich ganz gleich, ob ein Ruderleibchen rot-blau-weiß-gestreift ist, oder ob vorn der Cassius Clay draufgedruckt ist. Und Hosen, um drei Nummern zu groß zum Hineinwachsen, kauft er auch nicht. Vorigen Sommer hat er für Martina einen Bikini gekauft, aus Spitzenmuster. Der war angeblich viel zu durchsichtig. Papa war wütend darüber. Er hat geschrien: „Da kann meine Tochter ja gleich nackt herumlaufen!“ Und der Opa hat gekichert und gesagt: „Endlich hat mein Sohn mal einen vernünftigen Einfall!“ Papa hat sich furchtbar geärgert, aber er hat nichts drauf gesagt, weil er vor uns nicht mit dem Opa streiten will. Er ist zur Mama in die Küche gegangen und hat geschimpft, aber die Mama hat gesagt, alle Mädchen haben jetzt solche Bikinis.

Jetzt habe ich aber genug von uns erzählt. Ich glaube, ich kann wieder beim Ostersonntag anfangen.

Also damals, voriges Jahr, am Ostersonntag beim Frühstück, da ist die Mama aus der Küche hereingekommen und hat überall gezittert. Sie hat so stark gezittert, daß die Martina aus lauter Schreck über das Zittern ein Osterei in die Kaffeetasse hat fallen lassen.

Der Opa hat gefragt: „Schwiegermädchen, was ist dir?" (Der Opa sagt zur Mama immer „Schwiegermädchen".) Dann hat es wieder gebumst, und der Papa hat gerufen: „Niki, hör sofort auf!"

Immer, wenn es wo kracht oder hämmert, sagt der Papa: „Niki, hör sofort auf!" Meistens hat er ja dabei recht, aber diesmal war es nicht der Niki, sondern das Geräusch kam wieder aus der Küche. Niki hat zu heulen angefangen, daß er es gar nicht war, und Martina hat das Ei aus dem Kaffee gefischt, und die Mama hat noch immer gezittert und gesagt: „In der Küche, in der Küche ..." Wir haben alle gefragt, was in der Küche ist. Aber die Mama hat es nicht sagen können. Da ist der Opa aufgestanden und zur Küchentür gegangen. Martina und Nik und ich auch. Ich habe mir gedacht, daß es vielleicht ein Wasserrohrbruch ist oder eine Maus hinter dem Gasherd oder eine sehr große Spinne. Davor fürchtet sich Mama nämlich. Aber es war kein Rohrbruch und keine Maus und keine Spinne, und wir haben alle ungeheuer blöd geglotzt. Auch Papa, der uns nachgekommen war.

Auf dem Küchentisch hat nämlich einer gesessen, der war ungefähr einen halben Meter groß. Wenn er nicht Augen und Nase und einen Mund und Arme und Beine gehabt hätte, hätte man ihn für eine große, dicke Gurke oder einen mittleren, dünnen Kürbis halten können. Auf dem Kopf hat er eine Krone gehabt. Eine goldene Krone mit roten Edelsteinen in den Kronenzacken. Seine Hände steckten in weißen Zwirnhandschuhen, und die Zehennägel hatte er rot lackiert.

Das Kürbis-Gurken-Kronen-Ding verneigte sich vor uns, schlug die dünnen Beinchen übereinander und sprach mit tiefer Stimme. „Wir heißt Königs Kumi-Ori das Zweit, aus das Geschlecht die Treppeliden!"

Ich kann nicht ganz genau aufschreiben, was dann geschehen ist, weil ich nicht aufgepaßt habe, was die anderen tun. So sehr erschrocken war ich über den Gurkenkürbis.

Ich habe nicht gedacht: Das gibt es doch gar nicht! Ich habe auch nicht gedacht: Der schaut aber komisch aus! Ich habe gar nichts gedacht. Überhaupt nichts. Der Huber Jo, mein Freund, sagt in so einem Fall :„Dem ist das Hirn stillgestanden!"

Erklärungen

wir pfeifen auf den G.	Wir können auf den Gurkenkönig verzichten; wir brauchen ihn nicht.
ein Fünfer	die schlechteste Note in der Schule
das Ruderleibchen, -	T-Shirt

Peter Henisch

Peter Henisch, 1943 in Wien geboren, lebt seit 1970 als freier Schriftsteller in seiner Heimatstadt. Sein 1987 veröffentlichtes Buch „Die kleine Figur meines Vaters" hat deutlich autobiographische Züge. Der Autor erzählt die Lebensgeschichte seines Vaters, des bekannten Pressefotografen Walter Henisch.

Walter Henisch hatte seine größten Erfolge im Dritten Reich. Er war zwar kein Nazi, sondern eher ein unpolitischer Mensch, doch die Nationalsozialisten hatten ihm die Möglichkeit geboten, sich in seinem Beruf zu profilieren. So wurde er einer der berühmtesten Kriegsberichterstatter der Wehrmacht und erlebte den Krieg als „eine einzige Folge von Bildern".

Der Sohn mißbilligt zwar das Verhalten des Vaters, aber er kann ihn verstehen, ja er empfindet sogar eine nie dagewesene Sympathie für den Vater. Und Peter Henisch entdeckt - zu seinem Erschrecken - Parallelen zu sich selbst. Wie dem Vater alles zum fotografischen Motiv wurde, wird ihm, dem Schriftsteller, alles zum Material für seine Texte. Leidet auch er an „brutaler Neugier "?

Aus: Peter Henisch, „Die kleine Figur meines Vaters"

Ein Geiger, ein Flötist und ein Pianist spielen etwas Klassisches, Fotografen und Wochenschaumenschen schauen durch ihre Kameras, die Ehrengäste applaudieren. Der Frau Vizebürgermeister ist es eine besondere Freude, die Damen und Herren in diesem so traditionsreichen Saal des Wiener Rathauses zu begrüßen. Die kleine Feierstunde gibt ihr Gelegenheit, etwas zu tun, worauf man in unserer raschlebigen Zeit nur allzu gern vergißt. Dank zu sagen, sagt sie und räuspert sich, für Leistungen und Verdienste, die, darauf kann man nicht deutlich genug hinweisen, doch alles andere als selbstverständlich sind.

Der Frau Vizebürgermeister ist es also eine Ehre, jene Personen in diesem Kreis willkommen zu heißen, welche die Wiener Landesregierung mit dem goldenen Anerkennungszeichen für Verdienste um das Land Wien ausgezeichnet hat. Walter Henisch, sagt sie und weist mit dezenter Hand auf meinen Vater, wurde am 26. November 1913 in Wien geboren. Nach dem Besuch der Realschule studierte er zunächst Maschinenbau und Elektrotechnik, wandte sich jedoch schon bald dem Beruf eines Berichterstatters zu. Sein besonderes Interesse galt hier vor allem der Fotografie, die er als Angestellter einer Agentur von der Pike auf lernte.

Nach dem Ende des Zweiten Weltkrieges (das geht verdammt schnell, denke ich) arbeitete Walter Henisch zunächst als selbständiger Fotograf für mehrere Tageszeitungen. 1953 erfolgte unter Chefredakteur Pollack seine Berufung in den Dienst der ARBEITERZEITUNG. Besonders um die Sozialreportage und um die Kommunalberichterstattung erwarb sich Walter Henisch große Verdienste. Seine Kinderbilder legitimieren ihn als echten Kinderfreund und sind in ihrer Lebendigkeit nur schwer überbietbar.

Die Frau Vizebürgermeister kennt die Bilder meines Vaters, sagt sie, unter sämtlichen anderen Bildern anderer Fotografen heraus.

Die Frau Vizebürgermeister ist sehr froh, sagt sie, daß sie meinem Vater diese Auszeichnung eigenhändig überreichen darf.

Die Frau Vizebürgermeister steckt meinem Vater die zum Anerkennungszeichen gehörige Nadel an die Brust.

Die Frau Vizebürgermeister küßt meinen Vater, sich leutselig zu ihm hinunter bückend, auf die Wange.

Der Geiger, der Flötist und der Pianist spielen noch etwas Klassisches, die Ehrengäste applaudieren wieder, die Fotografen und Wochenschaumenschen packen ihre Kameras ein. Ich habe, flüstert mir meine Großmutter ins Ohr, noch einen Koffer mit alten Auszeichnungen deines Vaters im Kasten. Dieses Verdienstkreuz paßt gut zu den EISERNEN Kreuzen … Ich zucke die Achseln.

Aber das alles kommt später.

Noch an dem selben Tag, an dem mich meine Mutter angerufen hat, um mir zu sagen, daß mein Vater nun neuerlich und vielleicht ENDGÜLTIG ins Spital müsse, suchte ich meinen Vater auf. Er stand im Labor und kehrte, statt mich zu begrüßen, den Daumen nach unten. Was willst du eigentlich, fragte er, sein Bauch sah aus wie der Bauch einer schwangeren Frau. Ich möchte, sagte ich, und deutete auf mein Tonbandgerät, daß du mir deine Lebensgeschichte erzählst.

Er schüttelte den Kopf und schenkte sich aus einer unter den Entwicklergefäßen gut getarnten Halbliterflasche ein Glas Wein ein. Ich sollte keinen Tropfen trinken, sagte er, aber ich pfeif drauf, willst du auch ein Glas? Er suchte in den Filmregalen nach einem zweiten Glas, konnte aber keines finden. Macht es dir etwas aus, aus meinem Glas zu trinken?

Was willst du wissen, fragte er, du hast dich doch sonst nicht so sehr für deinen alten Vater interessiert? Alles, was dir einfällt, sagte ich, vom Anfang bis zum (ich vermied das Wort Ende im letzten Moment) bis zum heutigen Tag. Es wäre schade, verschwieg ich, wenn so viel Erleben ganz einfach ungenutzt zum Teufel ginge. Du hast mit deinen sechzig Jahren eine Erfahrung, die mir mit meinen knappen dreißig abgeht.

Jetzt, da ich hier sitze und schreibe, die Geschichte meines Vaters, MEINE Geschichte meines Vaters zu schreiben versuche, ist mir zweimal hintereinander der gleiche Tippfehler passiert. Ich möchte, habe ich geschrieben, und deswegen zweimal ein neues Blatt in die Schreibmaschine eingespannt, daß du mir MEINE Lebensgeschichte erzählst. Ich glaube nicht, daß ich mich meinem Vater gegenüber damals in ähnlicher Weise versprochen habe. Aber später habe ich ihm gestanden, daß ich wissen möchte, wer ER ist, um mir darüber klar zu werden, wer ICH bin.

Erklärungen

die Wochenschau	Filmbericht über die Ereignisse einer Woche
der Berichterstatter, -	Reporter
von der Pike auf	ganz von Anfang an
ich pfeif drauf	hier: ich kümmere mich nicht drum

Aufgaben

1. *Um welchen Text handelt es sich?*

	Wir pfeifen auf den Gurkenkönig	Die kleine Figur meines Vaters	Wunschloses Unglück	keiner davon
a) Ein Sohn versucht, seinen Vater zu verstehen.				
b) Die Erzählung hat deutlich autobiographische Züge.				
c) Etwas zu lernen kam für ein Mädchen damals nicht in Frage.				
d) Die Hauptperson ist ein zwölfjähriger Gymnasiast.				
e) Der Großvater in der Geschichte scheint sehr lustig zu sein.				
d) Jemand bekommt eine Auszeichnung von seiner Heimatstadt.				
e) Die Hauptperson freundet sich mit einem russischen Soldaten an.				

2. *Fassen Sie den Inhalt der einzelnen Textausschnitte kurz zusammen. Je drei Sätze genügen.*

3. a) *Welcher Text gefällt Ihnen am besten? Möchten Sie eines der Bücher ganz lesen? Welches? Begründen Sie Ihre Wahl.*
Welcher der Texte hat Ihnen am wenigsten gefallen? Warum?

Kriterien, die Sie verwenden können:
Interessiert mich das Thema? Ist der Text leicht oder schwierig? Wie ist die Sprache? Macht der Textausschnitt neugierig auf mehr? Möchte ich wissen, wie die Geschichte zu Ende geht?

b) *Von welchem Autor würden Sie gerne mehr lesen? Warum?*

c) *Sie könnten an die Autoren (die Autorin) eine Frage stellen. Was würden Sie fragen?*

d) *Was lesen Sie gerne? Berichten Sie von einem besonders schönen oder interessanten Buch, das Sie in letzter Zeit gelesen haben.*

15 Gastronomie

Im Ausland verbindet man mit Österreich immer Vorstellungen von gutem und vielem Essen. Jeder weiß, daß man in Österreich gut essen und gut trinken kann. Aber wirklich nicht alle Österreicher sind solche Phäaken, wie der „liabe Herr" in Josef Weinhebers Gedicht.

Als „Wiener Küche" hat die österreichische Küche Weltruhm erlangt. Noch heute ist sie ein kulinarisches Spiegelbild der nationalen Küchen aller Länder des Habsburgerreiches. Aus allen Teilen der Monarchie brachten Köchinnen neue Rezepte, neue Nuancen, neue Gewürze, neue Zutaten und neue Kombinationen nach Wien. Dort wurden die Rezepte modifiziert und assimiliert. Heute gilt die „Wiener Küche" für das ganze Land, obwohl natürlich auch die Bundesländer „ihre" Spezialitäten haben.

Erklärungen

der Weltruhm	Berühmtheit auf der ganzen Welt
die Zutaten	Teile von Speisen, Ingredienzen

Der Phäake*

Ich hab sonst nix, drum hab ich gern
ein gutes Papperl, liebe Herrn:
Zum Gabelfrühstück gönn ich mir
ein Tellerfleisch, ein Krügerl Bier,
schieb an und ab ein Gollasch ein,
(kann freilich auch ein Bruckfleisch sein),
ein saftiges Beinfleisch, nicht zu fett,
sonst hat man zu Mittag sein Gfrett.
Dann mach ich – es is eh nicht lang
mehr auf Mittag – mein Gsundheitsgang,
geh übern Grabn, den Kohlmarkt aus
ins Michaeler Bierwirtshaus.

nix: nichts
Papperl: Essen
Gabelfrühstück: kleine Mahlzeit am Vormittag
Gollasch: Gulasch
Bruckfleisch: Speise aus Rindfleisch und Innereien (Leber, Herz, Milz)
Beinfleisch: spezielle Sorte von gekochtem Rindfleisch
Gfrett: Ärger
Grabn, Kohlmarkt: Geschäftsstraßen in der Wiener Innenstadt

* bei Homer Angehöriger eines sorglos lebenden, genußfreudigen Volkes auf einer griechischen Insel; hier: jemand, der das Leben nur genießen will.

Ein Hühnersupperl, tadellos,
ein Beefsteak in Madeirasoß,
ein Schweinspörkelt, ein Rehragout,
Omletts mit Champignon dazu,
hernach ein bissel Kipfelkoch
und allenfalls ein Torterl noch,
zwei Seidel Göß – zum Trinken mag
ich nicht viel nehmen zu Mittag –
ein Flascherl Gumpolds, nicht zu kalt,
und drei, vier Glaserl Wermuth halt.
Damit ichs recht verdauen kann,
zünd ich mir mein Trabukerl an
und lehn mich z'rück und schau in d'Höh,
bevor ich auf mein Schwarzen geh.
Wann ich dann heimkomm, will ich Ruh,
weil ich ein Randerl schlafen tu,
damit ich mich, von zwei bis vier,
die Decken über, rekreier'.
Zur Jausen geh ich in die Stadt
und schau, wer schöne Stelzen hat,
ein kaltes Ganserl, jung und frisch,
ein Alzerl Käs, ein Stückl Fisch,
weil ich so früh am Nachmittag
nicht schon was Warmes essen mag.
Am Abend, muß ich Ihnen sagn,
eß ich gern leicht, wegn meinen Magn,
Hirn in Aspik, Kalbsfrikassee,
ein kleines Züngerl mit Püree.
Faschierts und hin und wieder wohl
zum Selchfleisch Kraut, zum Rump-
steak Kohl,
erst später dann, beim Wein zur Not,
ein nett garniertes Butterbrot.
Glaubn S' nicht, ich könnt ein Fresser wern,
ich hab sonst nix, drum leb ich gern,
kein Haus, kein Auto, nicht einmal
ein G'wehr im Überrumplungsfall.
Wenn nicht das bissel Essen wär –
(Die Stimme des Volkes:)
Segn S', *deswegn* ham S' nix, liaber Herr!

Josef Weinheber

Schweinspörkelt: Speise aus Schweinefleisch
Kipfelkoch: Mehlspeise aus Kipferln, Äpfeln und Rosinen
Törterl: Torte
Göß: Biersorte aus Göß (Steiermark)
Gumpolds: Wein aus Gumpoldskirchen
Trabukerl: Zigarrensorte
der Schwarze: hier schwarzer Kaffee, Mokka
Randerl: ein bißchen
Jause: Zwischenmahlzeit, Imbiß
Stelze: Unterschenkel des Kalbs und des Schweins
Alzerl: ein wenig
Magn: Magen
Züngerl: Zunge
Faschierts: Hackfleisch
Selchfleisch: geräuchertes Schweinefleisch
garniert: belegt
wern: werden
G'wehr: Gewehr
Segn S': Sehen Sie; *liab*: lieb

Wien – gastlich-köstlich

Sie müssen einfach davon gekostet haben: Apfelstrudel, Indianer mit Schlag, Sachertorte, Milchrahmstrudel, Marillenknödel, Nußkipferl, Palatschinken, Topfenknödel mit Zwetschkenröster ... Die „Mehlspeis", die Patisserie in Wien, gilt weit und breit als die absolut beste. Weshalb die Jause, anderswo bloß „Kaffee und Kuchen" am Nachmittag, in Wien eine besonders beliebte Mahlzeit ist.
Die Wiener Küche ist nach wie vor die Küche der alten Donaumonarchie, ergänzt um einige internationale Speisen. Natürlich können Sie hier ein Steak bestellen, aber ein Tafelspitz mit Gerösteten und Apfelkren wird Ihnen unvergeßlich bleiben. Sie finden zwar auch Bouillon auf der Speisekarte, aber eine Grießnockerl- oder eine Lungenstrudelsuppe sind eine echte Delikatesse. Auch beim bekannten Wiener Schnitzel liegt der Genuß nicht in der Raffinesse, sondern einfach in der Qualität der Küche begründet.

Man ißt überall gut in Wien: Im einfachen Gasthaus, auch Beisel genannt, kann man Lokalkolorit und Volksseele studieren, im vornehmen Restaurant wird zwischen echten Antiquitäten gepflegte Gastronomie zelebriert. Und vor allem abends kommt dazu noch der Würstelstand, an dem Opernbesucher wie Nachtschwärmer ihre „Heiße" verzehren.

Im Sommer stellen viele Wirte ihre „Schanigärten" auf die Gasse, wo man im Freien sitzen kann; im Winter bieten Maronibrater auf ihren kleinen Öfen frisch geröstete Edelkastanien (Maroni) an. Und im Wiener Kaffeehaus, dieser Oase im Großstadtleben, ist man „nicht zu Hause und doch nicht an der frischen Luft", wie ein Literat ironisch feststellte. Dort bestellt man übrigens nicht einfach Kaffee, sondern läßt sich einen „Kleinen Braunen", „Einspänner", „Türkischen" oder eine „Melange" servieren. Wie man auch nicht einfach den Kellner, sondern den „Herrn Ober" ruft. Auch wenn man nur Zeitungen oder ein zweites Glas Wasser nachbestellt.

Küchenalltag

Die Österreicher essen jetzt – einem Trend der Zeit folgend – gesundheitsbewußter als noch vor einem Jahrzehnt. Zum Frühstück essen sie z.B. weniger süßes Gebäck, Kuchen oder Butter, dafür aber mehr Joghurt, Käse, Wurst und Margarine. Zu Mittag verzichten viele auf Suppen und essen auch weniger Schweinsbraten und Geselchtes. Auch trinken sie weniger Wein und Limonaden als früher, statt dessen aber bedeutend mehr Mineralwasser. Vor allem essen sie neuerdings sehr viel frisches Obst und Gemüse.

Dennoch hält die große Mehrheit der Österreicher an liebgewonnenen Eßgewohnheiten fest und ißt mit Vorliebe altbewährte Speisen, richtige Hausmannskost. Ausländische Gerichte sind nicht sehr gefragt.

Alles in allem hat das Essen bei den Österreichern einen hohen Stellenwert. Gut zu essen und gut zu trinken, ist für 52 % der Erwachsenen wichtiger als etwa Reisen, Mode, Bekleidung und Sport.

Ein interessantes Detail am Rande: das Essen vollzieht sich in Österreich überwiegend im häuslichen Milieu, meist im Kreis der engeren Familie. Mit Gästen geht man allerdings lieber ins Restaurant.

Das Beisel

In Wien heißt ein kleines Gasthaus auch „Beisel". Es ist ein beliebter Treffpunkt aller Altersgruppen, oft auch Sitz und Stammlokal von Sportvereinen und Freizeitclubs.

In den Beiseln bekommt man im allgemeinen gute Hausmannskost zu angemessenen Preisen. Warme Küche gibt es von 12-14 und von 18-20 Uhr.

Zum Trinken: Neben Mineralwasser und alkoholfreien Getränken sind meist nur eine Sorte Bier, aber mindestens je zwei Weiß- und Rotweinsorten erhältlich. Den Wein trinkt man offen, zu Achteln oder Vierteln oder auch „gespritzt". (Das ist 1/8 l Wein mit 1/8 l Sodawasser.) Bier bekommt man in Flaschen oder offen: ein „Seidel" ist 1/3 l, ein „Krügel" ist 1/2 l.

Der Österreicher gibt ungefähr 10 % Trinkgeld.

Der Würstelstand

Was in Italien die Pizza, in Amerika der Hamburger, in England Fish and Chips ist, das ist in Österreich die Wurst. Am Würstelstand kann man im Stehen eine Wurst essen: z.B. die fette und billige Burenwurst, die sogenannte „Haaße" (= Heiße), die besonders in Wien beliebt ist; Bratwurst; Frankfurter; Leberkäse.

Das Kaffeehaus

Besonders in Wien ist das Kaffeehaus ein traditioneller Treffpunkt. Hier kann man stundenlang bei einem Kaffee sitzen, Zeitung lesen, mit jemandem plaudern, Schach, ja sogar Billard spielen.

Kaffeespezialitäten:

Mokka	=	schwarzer Kaffee
Kleiner Brauner	=	kleine Tasse Kaffee mit einem Schuß Milch
Großer Brauner	=	große Tasse Kaffee mit etwas Milch
Melange	=	Kaffee mit Milch
Schale Gold	=	Kaffee, etwas heller, goldbraun
Einspänner	=	Glasbecher mit heißem Mokka und Schlagobers
Eiskaffee	=	Vanilleeis mit kaltem Mokka und Schlagobers mit Wafferl
Türkischer	=	Kaffee auf türkische Art im Kupferkännchen gekocht, mit kleiner Schale heiß serviert

Erklärungen	
köstlich	delikat, exzellent, appetitlich
die Sachertorte, -n	eine berühmte Schokoladetorte aus dem Hotel Sacher in Wien
vornehm	elegant
der Nachtschwärmer, -	hier: jemand, der noch spät ausgeht
das Geselchte	geräuchertes Schweinefleisch

Fragen

1. *Enthalten der Text „Wien – gastlich-köstlich" und Weinhebers Gedicht „Der Phäake" Klischeevorstellungen über die Österreicher? Welche?*
2. *Wie unterscheiden sich die Eßgewohnheiten in Ihrem Land von denen in Österreich?*
3. *Welche Spezialitäten gibt es in Ihrem Land? Berichten Sie.*

Ein österreichisches Menü zum Ausprobieren

Leberknödelsuppe
Wiener Schnitzel mit Petersilkartoffeln
Kaiserschmarrn oder Sachertorte

Leberknödelsuppe (4 Portionen)

1 l Rindsuppe
120 g Rindsleber
30 g Fett
Zwiebel
Petersilie
2 Semmeln
1 Ei
Knoblauch
Semmelbrösel
Majoran, Pfeffer,
Salz

In 30 Gramm Fett läßt man etwas feingehackte Zwiebel und Petersiliengrünes anlaufen. Dies vermengt man mit 120 Gramm feinstfaschierter Leber, rührt darunter 2 geweichte, ausgedrückte und passierte Semmeln und 1 ganzes Ei, würzt mit Salz, Pfeffer, Majoran und zerdrücktem Knoblauch. Dann vermischt man das Ganze mit Semmelbröseln und stellt es in den Kühlschrank. Nach einigem Rasten formt man kleine Knödel, die in Salzwasser 10 Minuten gekocht werden. Abgetropft in die fertige Rindsuppe einlegen.

Erklärungen

hacken	zerkleinern
faschieren	Fleisch in einer Maschine zerkleinern
passieren	durch ein Sieb drücken

Wiener Schnitzel (für 1 Person)

150-200 g Kalbfleisch
1 Ei
1/2 Löffel Öl
1 Eßlöffel Milch
Salz, Semmelbrösel,
Mehl

Das Kalbsschnitzel nicht zu dünn schneiden, gut klopfen und beide Seiten in Mehl eintauchen. In einer Schüssel ein ganzes Ei, einige Tropfen Öl, 1 Eßlöffel Milch und etwas Salz gut verrühren, das Schnitzel eintauchen und dann mit Semmelbröseln panieren. Das panierte Schnitzel soll nicht zu lange liegen, sondern soll nach dem Panieren sofort gebacken werden, da sonst die Brösel feucht werden, wodurch die Panier beim Backen hart wird. Das Schnitzel in nicht zuviel Fett backen.

Erklärung
panieren — in den Bröseln wenden

Kaiserschmarrn (2 Portionen)

4 Eier
30 g Zucker
ca. 1/4 l Milch
120 g Mehl
Prise Salz
50 g Butter zum Backen
30 g Rosinen
Staubzucker zum Bestreuen

Mehl, Zucker, Salz und Eigelb mit Milch zu einem glatten, dickflüssigen Teig vermischen. Eiweiß zu Schnee schlagen und vorsichtig in den Teig einrühren. Teig in eine Pfanne mit heißer Butter gießen, anbacken, mit Rosinen bestreuen, wenden und im Rohr oder auf mäßigem Feuer fertig backen. In kleine Stücke zerreißen, mit Staubzucker bestreuen und auf einer Platte anrichten. Kompott als Beigabe.

Sachertorte

130 g Butter
220 g Staubzucker
6 Eigelb
130 g Schokolade
6 Eiklar
Vanillezucker
130 g Mehl
Marillenmarmelade

Die weiche Butter wird mit der halben Zuckermenge, der erwärmten Schokolade und dem Eigelb schaumig gerührt. Den Schnee mit dem restlichen Zucker steif schlagen. Beide Massen zusammenmischen und dann vorsichtig das Mehl mit

Vanillezucker einrühren. Eventuell 1/2 Paket Backpulver (= 1 1/2 Teelöffel) dazumischen. 1 Stunde bei schwacher Hitze backen. Vollständig auskühlen lassen, mit Marillenmarmelade füllen und bestreichen und sehr dick mit Schokoladeglasur überziehen.

Glasur:

200 g Zucker	150 g Schokolade	1/8 l Wasser

Zucker und Wasser 5 bis 6 Minuten scharf kochen lassen. Auskühlen lassen, bis die Lösung lauwarm ist. Schokolade erwärmen, bis sie schmilzt, und mit der warmen Zuckerlösung nach und nach verrühren, bis eine dickflüssige Glasur entsteht.

Erklärung

der Staubzucker (österr.)	Puderzucker

Sachertorte

16 Planen Sie eine Reise durch Österreich

Planen Sie eine Reise durch Österreich. Sie haben zehn Tage Zeit. Beginnen Sie Ihre Reise in Wien. Führen Sie ein „Reise-Tagebuch" (Reiseziel, Aktivitäten, Sehenswürdigkeiten usw.)

Dazu einige Entfernungen und Fahrzeiten (mit der Eisenbahn)

Wien-Linz	190 km	1 Std. 52 Min.
Wien-Salzburg	317 km	3 Std. 15 Min.
Wien-Graz	214 km	2 Std. 35 Min.
Wien-Klagenfurt	334 km	4 Std. 20 Min.
Linz-Salzburg	127 km	1 Std. 20 Min.
Salzburg-Innsbruck	255 km	3 Std. 30 Min.
Salzburg-Bregenz	453 km	5 Std. 10 Min.
Salzburg-Klagenfurt	226 km	3 Std. 40 Min.
Salzburg-Graz	301 km	4 Std. 25 Min.

Die angegebenen Fahrzeiten sind nicht bei allen Zügen gleich.

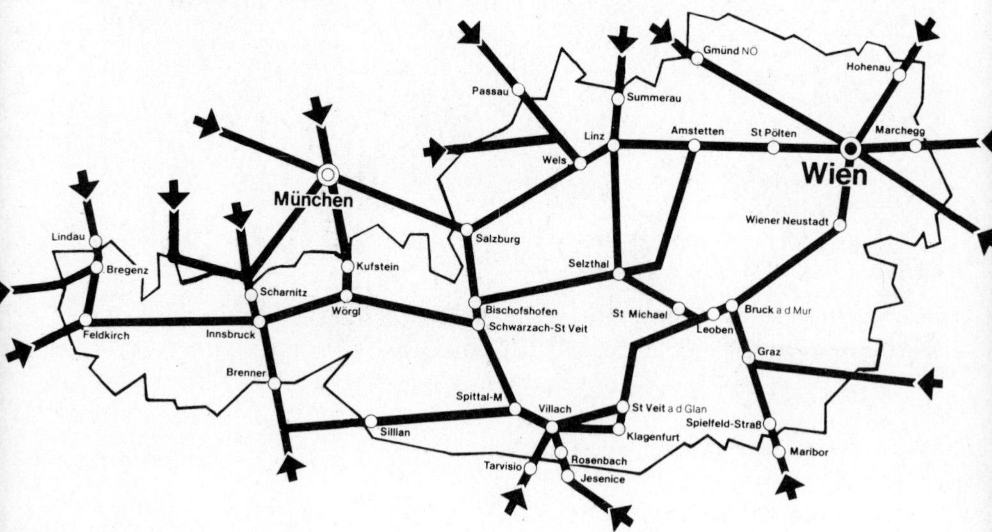

17 Österreich auf einen Blick

○ *Fläche:* 83 855,20 km^2

○ *Einwohnerzahl:* 7 636 000 (1989)

332 000 (1989) Ausländer (davon 167 381 Gastarbeiter [1989])
ca. 380 000 Auslandsösterreicher (besonders in der Bundesrepublik Deutschland, der Schweiz und in den USA)

○ *Bevölkerungsdichte:* 90 pro km^2

○ *Bundeshauptstadt:* Wien

○ *Österreich besteht aus 9 Bundesländern:*

Bundesland	Einwohner	Hauptstadt	Einwohner
Burgenland	269 771	Eisenstadt	10 102
Kärnten	536 179	Klagenfurt	87 321
Niederösterreich	1 427 849	St. Pölten	50 419
Oberösterreich	1 269 540	Linz	199 910
Salzburg	442 301	Salzburg	139 426
Steiermark	1 186 525	Graz	243 166
Tirol	586 663	Innsbruck	117 287
Vorarlberg	305 164	Bregenz	24 561
Wien	1 531 346	—	

○ *Wichtige Industrieorte neben den Landeshauptstädten:*

Donawitz, Leoben, Kapfenberg (Steiermark), Stockerau, Korneuburg (Niederösterreich), Wolfsberg, Bleiberg (Kärnten), Ried, Enns, Steyr (Oberösterreich), Dornbirn, Bludenz (Vorarlberg), Wattens, Schwaz (Tirol)

○ *Höchster Berg:* Großglockner 3 797 m

○ *Höchstgelegene Ortschaft:* Obergurgl (Tirol) 1927 m

○ *Tiefste Fläche:* Neusiedler See 115 m

○ *Tiefstgelegene Ortschaft:* Illmitz (Burgenland) 117 m

○ *Längster Tunnel:* Arlberg-Straßentunnel 13 972 m

○ *Wichtigste Flüsse:*

Fluß	km in Österreich
Donau	350
Mur	348
Inn	280
Drau	261
Enns	254
Salzach	220

○ *Größte Seen:*

Seen	Bundesland	Fläche in km²	
Bodensee	Vorarlberg	538,5	(38 österr. Anteil)
Neusiedler See	Burgenland	320	(232 österr. Anteil)
Attersee	Oberösterreich	45,9	
Traunsee	Oberösterreich	24,5	
Wörther See	Kärnten	18,8	

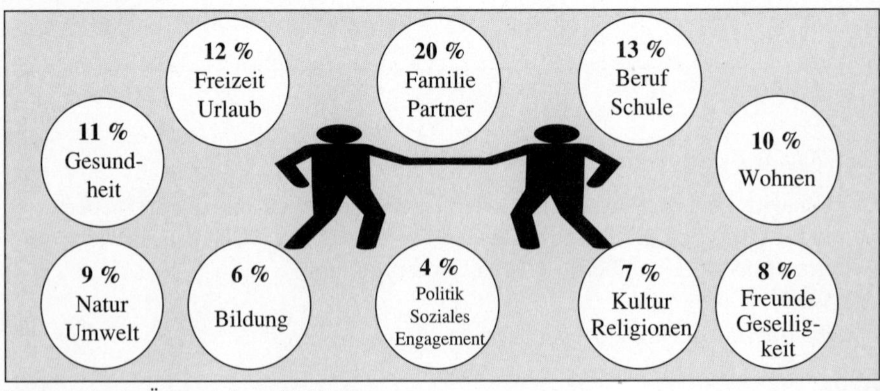

Das macht die Österreicher glücklich.

18 Vergleichen Sie Österreich mit Ihrem Land

Die meisten Informationen werden Sie in diesem Buch finden. Verwenden Sie auch ein Lexikon. Ihr(e) Lehrer(in) wird Ihnen bei der Beschaffung von Informationen sicher behilflich sein.

Politik

	Österreich	Ihr Land
Staatsform Staatsoberhaupt Regierungschef Währung Politische Parteien		

Bevölkerung

Einwohnerzahl Staatssprache (n) Religion (en)		

Wirtschaft und Soziales

Wichtigste Wirtschafts-zweige Wichtigste Produkte Wichtigste Handelspartner Durchschnittseinkommen Arbeitslosenrate Inflationsrate		

Lebensverhältnisse

Wöchentliche Arbeitszeit Mindesturlaub		

Anhang: Zum Weiterlesen

(für Lernende mit sehr guten Deutschkenntnissen)

Brandstetter, Alois (Hg): *Österreichische Erzählungen des 20. Jahrhunderts.* München: dtv, 1987. Fünfzig Geschichten und Erzählungen österreichischer Autoren.

Gassner, Susanna, und Wolfgang Simonitsch: *Kleines Österreich-Lexikon: Wissenswertes über Land und Leute.* München: Beck, 1987. Handliches Nachschlagewerk mit stichwortartigen Auskünften über österreichische Ausdrücke, über Politik, Geschichte, Gastronomie, Abkürzungen, Zeitungen u.a.m.

Gutkas, Karl: *Die Zweite Republik: Österrreich 1945–1985.* Wien: Verlag für Geschichte und Politik, 1985. Kurzgefaßte, nützliche Darstellung der Geschichte Österreichs seit 1945. Großer Materialreichtum auf kleinem Raum.

Hirt, Elisabeth, und Ali Gronner (Hg.): *Dieses Wien: Ein Führer durch Klischee und Wirklichkeit.* Wien: Junius, edition m., 1986. Ein unkonventionelles Wien-Buch mit verschiedenartigen Beiträgen ganz unterschiedlicher Autoren und einer großen Spannweite von Themen.

Koppensteiner, Jürgen (Hg.): *Österreich erzählt 2: Ein Lesebuch für Deutschlernende.* Wien: Bundesverlag, 1989. Auswahl österreichischer Kurzprosa aus Vergangenheit und Gegenwart, moderne Märchenerzähler, Jugendbuchautoren und junge, neuentdeckte Talente. Mit Tonkassette.

Koppensteiner, Jürgen (Hg.): *so loch doch: Gedichte und Lieder aus Österreich (nicht nur) für Deutschlernende.* Wien: Bundesverlag, 1987. Anthologie österreichischer Lyrik (Konkrete Gedichte; Spiel mit der Sprache; Kindergedichte; Klassiker; Balladen; Liedermacher; Dialektgedichte; „Thema Österreich"; Volkslieder.) Mit Tonkassette.

Krejci, Herbert (Hg.): *Das reiche Land.* Wien: Signum Verlag, 1989. 14 Essays zu historischen, politischen und wirtschaftlichen Themen und über Literatur, Musik, Theater und die Bildenden Künste („alles das, was Österreich in 'Europa' ausmacht und worauf wir in diesem Land stolz sein können").

Lyon, Dirk u.a. (Hg.): *Österreichbewußtsein – bewußt Österreicher sein? Materialien zur Entwicklung des Österreichbewußtseins seit 1945.* Wien: Bundesverlag, 1985. Verschiedene Materialien (literarische Texte, politische Dokumente, Statistiken usw.) zur Frage der österreichischen Identität.

Nick, Rainer, und Anton Pelinka: *Politische Landeskunde der Republik Österreich.* Berlin: Colloquium Verlag, 1989. Kompakte, aktuelle, verständlich geschriebene Darstellung des politischen Systems Österreichs (Neutralität, Wirtschaft und Gesellschaft, Verfassung, Parteien, Verbände und Sozialpartnerschaft, Österreich am Ende der 80er Jahre).

Ringel, Erwin: *Die österreichische Seele: Zehn Reden über Medizin, Politik, Kunst und Religion.* Wien: Europa Verlag, 1984. Enthält die vieldiskutierte „Neue Rede über Österreich des bekannten Wiener Psychiaters. Österreich – Kritik in Form von zehn Thesen, u.a.: „Dieses Land ist eine Brutstätte der Neurose."

Schreiber, Georg: *Geschichte Österreichs für die Jugend.* Wien: Bundesverlag, 1986. Geschichte Österreichs vom „Jäger der Eiszeit" bis in die Gegenwart auf knappem Raum. Flüssig geschrieben, reich illustriert.

Weinzierl, Ulrich (Hg.): *Lächelnd über seine Bestatter: Österreich. Österreichisches Lesebuch von 1900 bis heute.* München: Piper, 1989. Österreich-Anthologie, die nicht nur qualitätsvolle Texte berücksichtigt, sondern auch das „ausdrücklich Miserable", wenn es sich um „zeittypische Aussagen" handelt. Ausschnitte aus Romanen, Dramen, politischen Artikeln u.a.

Textquellen

Allgemeines (vgl. auch die Bücherliste S. 158).

Dusek, Peter, Peter Pelinka und Erika Weinzierl: *Zeitgeschichte im Aufriß. Österreich von 1918 bis in die achtziger Jahre.* Wien: TR-Verlagsunion, 1981.

Feigl, Susanne: *Frauen in Österreich. 1975–1985.* Wien: Staatssekretariat für allgemeine Frauenfragen im Bundeskanzleramt, o.J.

Gassner, Susanna und Wolfgang Simonitsch: *Kleines Österreich-Lexikon. Wissenswertes über Land und Leute.* München: Beck 1987.

Muzik, Peter: *Die Zeitungsmacher. Österreichs Presse. Macht, Meinungen und Milliarden.* Wien: Orac, 1984.

Österreich-Dokumentation des Bundespressedienstes (zu verschiedenen Themen).

Petritz, René: *Österreichische Landeskunde.* Teil II. Österreichische Gegenwart im Aufriß. Ein Dossier (= Landeskunde für Mittel- und Fortgeschrittenenkurse). [Klagenfurt]: [Universität für Bildungswissenschaften], o.J.

Österreich. Ausgewählte Wirtschaftsdaten 1989. Wien: Presseservice der österreichischen Bundeswirtschaftskammer, o.J.

Österreich in Zahlen. Wien: Bundespressedienst, 1989.

Österreich. Tatsachen und Zahlen. Wien: Bundespressedienst, 1989.

Österreichischer Zahlenspiegel. 10. Jg./3. Wien: Österreichisches Statistisches Zentralamt, März 1990.

Österreichischer Zahlenspiegel. Jahresausgabe 1989/8. Jg. Wien: Österreichisches Statistisches Zentralamt, 1989.

Österreichs Wirtschaft im Überblick 1989/90. Wien: Wirtschaftsstudio des Österreichischen Gesellschafts- und Wirtschaftsmuseums, 1989.

Scheidl, Leopold und Herwig Lechleitner: *Österreich. Land. Volk. Wirtschaft in Stichworten.* 4. neubearbeitete Auflage. Wien: Hirt, 1987.

Wohnbevölkerung nach Gemeinden mit der Bevölkerungsentwicklung seit 1869. Wien: Österreichische Staatsdruckerei, 1983.

S. 18 nach Hellmut Andics: „Donau so grau …“, Merian, Heft 11, 1976, S. 26/27, 164, 166/167.

S. 21–23 Titel und einige Informationen nach Peter Müller: Österreich innovativ, Wien, München: Jugend und Volk, 1979.

S. 26–28 nach Wochenpresse Nr. 46, 1974, S. 30.

S. 29 nach Rudolf F. Bretschneider: *Amadeus,* Grazer Journal, 25/26 (1989), S. 17.

S. 32/33 nach *„E5 ‚Terror von Blech und Blut'“,* Der Spiegel, Heft 35, 1975, S. 92 ff.

S. 35 Ferienjournal, o.J. [1971], Österreichische Fremdenverkehrswerbung, Wien.

S. 36 Föhn. Zeitschrift fürs Tiroler Volk 1, 1979, S. 45.

S. 37 nach *Das Problem der Bergbauern in unserer Zeit,* Föhn. Zeitschrift fürs Tiroler Volk 1, 1978, S.5–6.

S. 49 Merian. Österreich, Heft 1, 1976, S. 82.

S. 49 Glückliches Österreich. Literarische Besichtigung eines Vaterlandes, hg. Jochen Jung, Salzburg: Residenz Verlag, 1978, S. 24.

S. 52/53 nach Johannes Kunz: *Hoffnungslos, aber nicht ernst,* Wien, München, Zürich: Verlag Fritz Molden, 1976; S. 55, 57, 58f., 70f., 84.

S. 63 teilweise nach *Österreichs politische Landschaft im Wandel,* Neue Zürcher Zeitung, 27./28. Mai 1989.

S. 66/67 nach *Österreich jenseits von Wien und Sachertorte,* Presse-Service der Österr. Bundeswirtschaftskammer, Sept. 1981. Aktualisiert 1990.

S. 71 Zahlen und Informationen Österreichische Fremdenverkehrswerbung, Wien. Marktforschung. März 1990.

S. 72 Statistiken Bundeswirtschaftskammer, Presseabteilung, 1990.

S. 73/74 nach *Im Halbschatten des Wirtschaftsriesen.* Umfragebericht des Instituts für Markt- und Sozialanalysen Linz. Nr. 24. Dez. 1988. Auch: Michael Frank: *Die Großmutter ersetzt den Geschirrspüler: Demoskopen durchleuchten die Lebensbedingungen der Österreicher,* Süddeutsche Zeitung, 28./29. Januar 1988.

S. 80 nach Christof Gaspari: *Die Jugend: Ein schöner Vogel?* Die Furche, 31. 3. 1989.

S. 81 teilweise nach Leopold Rosenmayr: *Keine Hilfe für Helfer,* profil, Nr. 10. 5. März 1990.

S. 89–91 teilweise nach *Kultur- und Freizeitverhalten der österreichischen Bevölkerung,* Wien: Österreichisches Statistisches Zentralamt, Pressegespräch 14. April 1988.

S. 90 Sportstatistiken aus: *Sport in Österreich.* Wien: Bundespressedienst, 1989. S. 15.

S. 91/92 teilweise nach M. M.: *Mei Ruah will i,* Kurier, 11. Juli 1989.

S. 97–99 teilweise nach Peter Muzik: *Die Zeitungsmacher.* Österreichs Presse. Macht, Meinungen und Milliarden, Wien: Orac 1984, S. 13–18.

S. 122–128 nach Jakob Ebner: *Duden. Wie sagt man in Österreich?* Wörterbuch der österreichischen Besonderheiten, Mannheim, Wien, Zürich: Bibliographisches Institut 1980; Österreichisches Wörterbuch, hg. im Auftrag des Bundesministeriums für Unterricht, Kunst und Sport, Wien: Österreichischer Bundesverlag; Jugend und Volk 1985.

S. 130/131 Kärntnerisch: Aus: *Das Sprachbastelbuch.* Wien, München: Jugend und Volk, o.J., S. 72; Tirolerisch: Aus: *Werwiewas.* Das Lexikon für Kinder. Wien, München: Jugend und Volk, 1980, S. 65. Steirisches Bauernrätsel: Aus: Alois Almer und Ernst A. Ekker: *Leseheft Steiermark.* Wien: Österreichischer Bundesverlag, 1988, S. 57; *Ungerecht:* Aus: Ernst A. Ekker: Leseheft Kärnten. Wien: Österreichischer Bundesverlag, 1988, S. 12, © Carinthia, Klagenfurt.

S. 132 nach Peter Pabisch: *Anti-Heimatdichtung im Dialekt,* Wien: Verlag A. Schendl, [1977] (Dialect. Sonderheft 5), S. 28.

S. 132 Alfred Gesswein: RAMA DAMA, RAMA WOIMA, RAMA MIASMA. Gedichte im Wiener Dialekt, Rothenburg o. d. T.: Verlag J. P. Peter, Gebr. Holstein 1975, S. 6/7

S. 136–138 Residenz-Verlag, Salzburg/Wien 1984.

S. 139–140 Beltz Verlag, Weinheim/Weinstraße, 1973.

S. 141–143 Residenz Verlag, Salzburg/Wien 1987.

S. 145/146 Josef Weinheber: Sämtliche Werke. II. Band: Gedichte / Zweiter Teil, Salzburg: Otto Müller Verlag, 1954, S. 147/148, © Verlag Hoffmann und Campe, Hamburg.

S. 147 nach Wien, Prospekt des Fremdenverkehrsverbandes für Wien.

S. 148 nach *Liebeserklärung an Großmutters Küche: Ernährungsgewohnheiten der Österreicher und Umgang mit Lebensmitteln unter der demoskopischen Lupe.* Umfragebericht des Instituts für Markt- und Sozialanalysen, Linz. Nr. 20. Okt. 1987. Auch: *Langer Abschied von der Mehlschwitze,* Süddeutsche Zeitung, 31. Oktober / 1. November 1987

S. 149/150 nach wien. vienna. vienne. viena. LIVE, Prospekt des Fremdenverkehrsverbandes für Wien, 1981.

S. 151–153 (Rezepte) Roswitha Koppensteiner.